Manger des
BANANES
attire les moustiques

et plus de
150 AUTRES MYTHES ET RÉALITÉS
en matière d'alimentation

Julie DesGroseilliers, Dt.P.

Manger des
BANANES
attire les moustiques

et plus de
150 **AUTRES MYTHES ET RÉALITÉS**
en matière d'alimentation

Catalogage avant publication de Bibliothèque
et Archives nationales du Québec et Bibliothèque et Archives Canada

DesGroseilliers, Julie
Manger des bananes attire les moustiques :
plus de 150 mythes et réalités en matière d'alimentation

Comprend des réf. bibliogr. et un index.
ISBN 978-2-923681-01-6

1. Alimentation.   2. Santé   3. Cuisine santé.
I. Titre   II. Titre: Plus de 150 mythes et réalités en matière d'alimentation.

RA784.D47 2009   613.2   C2009-940236-X

DIRECTEUR DE L'ÉDITION
Martin Balthazar

ÉDITRICE DÉLÉGUÉE
Sylvie Latour

CONCEPTION GRAPHIQUE ET COUVERTURE
Cyclone Design Communications

INFOGRAPHIE
Benoit Martin

RÉVISEURE
Sophie Sainte-Marie

L'éditeur bénéficie du soutien de la Société de développement des entreprises culturelles du Québec
(SODEC) pour son programme d'édition et pour ses activités de promotion.

L'éditeur remercie le gouvernement du Québec de l'aide financière accordée à l'édition
de cet ouvrage par l'entremise du Programme de crédit d'impôt pour l'édition de livres, administré
par la SODEC.

Nous reconnaissons l'aide financière du gouvernement du Canada par l'entremise du Programme
d'aide au développement de l'industrie de l'édition (PADIÉ) pour nos activités d'édition.

LES ÉDITIONS
LA PRESSE

PRÉSIDENT
André Provencher

7, rue Saint-Jacques
Montréal (Québec)
H2Y 1K9
514 285-4428

TABLE DES MATIÈRES

MOT DE L'AUTEURE

Quel été 2008 mémorable! Trois semaines après avoir emménagé dans ma nouvelle maison avec mon amoureux, je me suis fracturé le tibia en jouant au *flag football*. Alors confinée à la maison pour deux mois à la suite d'une opération, le moment était bien choisi pour écrire un livre. C'est ainsi que, confortablement assise dans mon nouveau bureau, la jambe en l'air, j'ai commencé la rédaction!

L'idée d'élaborer sur les croyances alimentaires m'est venue de mon expérience comme conférencière. Avec le temps, j'ai remarqué que les gens me posent souvent les mêmes questions sur l'alimentation et la nutrition, croient aux mêmes rumeurs et fausses théories, ont les mêmes préoccupations, etc. La nutrition est un sujet très à la mode et, malheureusement, l'information qui circule à son sujet n'est pas toujours véridique.

Le but de mon livre est d'aider tous ceux et celles qui ont un intérêt pour les aliments, que ce soit les fins connaisseurs ou les néophytes, de démythifier les croyances alimentaires les plus populaires tout en les divertissant par de courts textes bien vulgarisés mais rigoureux, faciles à lire et qui vont droit au but. Il n'y a rien de mieux que d'être bien informé pour faire des choix alimentaires gagnants pour sa santé. Il est à noter que les textes sont le fruit de mes recherches et des données en matière d'alimentation et de nutrition au moment de la rédaction.

Grâce à ma gourmandise pour la vie en général et à mon approche alimentaire permissive, ce livre sera certainement rafraîchissant à lire en plus d'être drôlement éducatif!

Bonne lecture à tous,
Julie

ALIMENTATION GÉNÉRALE

- Les femmes doivent s'ALIMENTER différemment des hommes.

- Il n'est pas recommandé de BOIRE durant les repas.

- Il existe du « bon » CHOLESTÉROL dans les aliments.

- On ne doit jamais sauter le DÉJEUNER.

- Manger sucré cause le DIABÈTE.

- Les DIABÉTIQUES ne peuvent pas manger de sucre.

- On ne peut DIGÉRER plus d'un type d'aliments à la fois.

- Les FUMEURS ont des besoins en vitamine C plus élevés.

- Quand on a une GASTROENTÉRITE, il faut boire de l'eau de riz.

- JEÛNER purifie le corps.

- MANGER lentement est meilleur pour la santé.

- Mieux vaut MANGER moins à la fois mais plus souvent.

- Les athlètes doivent manger beaucoup plus de PROTÉINES.

- Manger entre les REPAS est une mauvaise habitude.

- Les SUPPLÉMENTS de vitamines et de minéraux donnent de l'énergie.

la suite

- On devrait prendre quotidiennement un SUPPLÉMENT de vitamines et de minéraux.

- Les produits dits « sans gras TRANS » sont bons pour la santé.

- Il existe des gras TRANS naturels.

- La mention « partiellement hydrogénée » signifie que le produit contient des gras TRANS.

] **Les femmes doivent s'ALIMENTER différemment des hommes.**

Même si les bases d'une saine alimentation sont identiques pour les hommes et les femmes (ex. : manger beaucoup de fruits et de légumes, éviter les gras trans, privilégier les grains entiers), il existe certaines différences physiologiques qui impliquent des ajustements en fonction des sexes.
Par exemple, parce qu'ils sont généralement plus grands, plus lourds et plus musclés, les hommes ont des besoins énergétiques (caloriques) supérieurs. Quant aux nutriments, les femmes adultes ont des besoins en fer deux fois plus élevés que les hommes, en raison de leurs règles. Les femmes doivent également modifier leur alimentation durant la grossesse et l'allaitement. Par exemple, lés femmes enceintes doivent prendre un supplément d'acide folique avant et au tout début de la grossesse, limiter le café, etc.

CONCLUSION | L'alimentation dépend de plusieurs facteurs. Vous devez l'adapter en fonction de votre sexe, de votre activité physique, de votre âge, de vos préférences alimentaires, de votre santé (ex. : hypertension, diabète), etc.

★ ★ ★

] **Il n'est pas recommandé de BOIRE durant les repas.**

Boire de l'eau ou du lait, par exemple, pendant les repas n'affecte pas la digestion. Cependant, de très grandes quantités de liquides peuvent dilater l'estomac et ainsi causer un certain inconfort. Mais contrairement aux rumeurs, boire au cours d'un repas ne dilue pas le suc gastrique et, par conséquent, ne perturbe pas la digestion. Cependant, il est préférable pour les personnes souffrant de problèmes gastriques (ex. : reflux gastro-œsophagien) de boire entre les repas et non pendant.

★ ✖ ★

] **Il existe du « bon » CHOLESTÉROL dans les aliments.**

Il existe un seul type de cholestérol alimentaire, présent dans les produits d'origine animale tels que les abats, les viandes, les produits laitiers, les jaunes d'œufs et les crevettes. Ainsi, il n'y a pas de « bon » et de « mauvais » cholestérol dans la nourriture. Ce concept s'applique plutôt au cholestérol circulant dans le sang.

] On ne doit jamais sauter le DÉJEUNER.

Le plus important, c'est d'écouter son corps. Le déjeuner, au même titre que les autres repas, est important puisqu'il contribue à combler les besoins quotidiens en énergie et en éléments nutritifs. Après une bonne nuit de sommeil, le corps est prêt à être rechargé. Cependant, diverses situations peuvent expliquer un manque d'appétit au réveil, comme un souper copieux la veille, la prise d'une généreuse collation avant le coucher (ou durant la nuit!), un lever plus tôt que d'habitude, etc. Dans de telles circonstances, on ne doit pas se forcer à déjeuner. Il suffit tout simplement de manger un peu plus tard, lorsque la faim se fera sentir. Par exemple, on prépare un fruit accompagné d'un yogourt et de quelques amandes à grignoter en nous rendant à notre travail ou à notre arrivée au bureau. D'ailleurs, être à l'écoute de son corps, c'est-à-dire respecter ses signaux de faim et de satiété, représente l'une des meilleures stratégies pour atteindre et maintenir un poids santé.

CONCLUSION | Je ne vous encourage pas à sauter le déjeuner, mais plutôt à respecter votre horloge interne! Cela dit, déjeuner est une habitude qui s'apprivoise. Et puisque les enfants et les adolescents sont en croissance, on s'assure qu'ils consomment des aliments nutritifs en guise de collation s'ils ne prennent pas le déjeuner « traditionnel ».

LE SAVIEZ-VOUS?

Un déjeuner équilibré doit contenir des aliments provenant d'au moins trois groupes alimentaires sur quatre (voir annexe Guide alimentaire canadien). Des rôties de blé entier avec du beurre d'arachide et un verre de lait, ou un bol de yogourt garni de céréales et de fruits frais sont deux exemples de déjeuners équilibrés.

] Manger sucré cause le DIABÈTE.

Selon Diabète Québec[2], la cause réelle du diabète demeure inconnue : « Nous savons toutefois que certains facteurs peuvent influencer l'apparition du diabète, comme l'hérédité, l'obésité, la grossesse, certains virus ou certains médicaments, etc. » Or, indirectement, les aliments sucrés peu nutritifs (ex. : boissons gazeuses, friandises, pâtisseries) peuvent contribuer au surplus de poids qui, lui, augmente le risque de développer le diabète.

LE SAVIEZ-VOUS ?

L'Organisation mondiale de la santé (OMS)[3] considère le diabète comme une véritable épidémie. En 1985, on estimait à 30 millions le nombre de diabétiques dans le monde. En 1995, il était monté à 135 millions et, selon les dernières estimations de l'OMS, il était de 177 millions en 2000 et il atteindra au moins 300 millions d'ici à 2025.

✦ ★ ✦

] Les DIABÉTIQUES ne peuvent pas manger de sucre.

Bien que les personnes diabétiques possèdent une carence ou un défaut d'utilisation ou de sécrétion de l'insuline*, entraînant des excès de sucre dans le sang, ils peuvent quand même manger des aliments sucrés. Cependant, puisque le sucre a une influence directe sur la glycémie (taux de sucre dans le sang), les diabétiques doivent davantage contrôler la quantité consommée. On leur conseille de respecter un horaire de repas régulier le plus souvent possible, de privilégier les aliments glucidiques qui ont une valeur nutritive intéressante (ex. : fruits, légumes, produits céréaliers à grains entiers) et de bien répartir leur consommation tout au long de la journée, en plus de restreindre les sucres ajoutés (ex. : sucre blanc, miel, confiture)[1].

CONCLUSION | Les aliments sucrés artificiellement et ayant une pauvre valeur nutritive (ex. : pâtisseries, friandises, gâteaux) ne devraient être consommés qu'à l'occasion… que l'on soit diabétique ou non !

* Insuline : Hormone sécrétée par le pancréas et qui permet au glucose (sucre) contenu dans les aliments d'être utilisé par les cellules du corps comme source d'énergie.

★ ★ ★

] **On ne peut DIGÉRER plus d'un type d'aliments à la fois.**

Le corps a été conçu pour recevoir différents aliments au cours d'un même repas. Cependant, les actions mécaniques et chimiques des différents organes digestifs (bouche, gorge, estomac, intestin) transforment les aliments en glucides, lipides et protéines à différents moments. Or, le corps est tout à fait capable de recevoir au cours d'un même repas les aliments qui composent, par exemple, un hamburger : galette de viande (protéines et lipides) et petit pain (glucides). Par contre, leur voyage dans le tube digestif ne s'effectuera pas à la même vitesse !

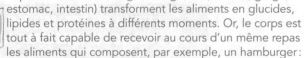

LE SAVIEZ-VOUS ?

Chaque jour, nos glandes salivaires sécrètent plus d'un litre de salive ! Cette dernière lubrifie les aliments pour faciliter la déglutition, aide à prévenir la carie dentaire en neutralisant l'acide dans la bouche et, grâce à ses enzymes, la salive transforme certains composants des aliments pour faciliter l'assimilation éventuelle par notre corps.

] Les FUMEURS ont des besoins en vitamine C plus élevés.

La nicotine détruit une partie de la vitamine C. C'est pour cette raison que Santé Canada[4] recommande aux fumeurs d'augmenter leur apport quotidien de 35 mg de vitamine C par rapport à la population en général. Cette quantité équivaut, par exemple, à manger une demi-orange de plus chaque jour.

BESOINS QUOTIDIENS RECOMMANDÉS EN VITAMINE C		
	Hommes adultes (mg)	Femmes adultes (mg)
Non-fumeurs	90	75
Fumeurs	125	110

TENEUR EN VITAMINE C DE QUELQUES ALIMENTS (mg)	
Poivron rouge cru - 1/2	113
Papaye - 125 ml (1/2 t)	91
Kiwi - 1	71
Orange - 1	70
Fraises fraîches - 125 ml (1/2 t)	45
Brocoli cru - 125 ml (1/2 t)	42
Pamplemousse rose - 1/2	38

Référence:
Fichier canadien sur les éléments nutritifs - Santé Canada, version 2007b.

] Quand on a une GASTROENTÉRITE, il faut boire de l'eau de riz.

L'eau de riz ne semble pas être un remède prescrit par les médecins, ni par les infirmières du service Info Santé[6]. Bien que l'eau de riz puisse améliorer légèrement la consistance des selles, les résultats varient beaucoup d'un individu à l'autre. Selon les gastroentérologues, l'eau de riz ne représente pas une solution de réhydratation adéquate puisqu'elle n'est pas assez riche en certains minéraux. De leur côté, les infirmières d'Info Santé recommandent davantage l'administration d'une solution de réhydratation du commerce (ex.: Gastrolyte, Pedialyte). Il est recommandé de s'hydrater en petite quantité, puis d'augmenter graduellement la dose, selon la tolérance de chaque malade.

] JEÛNER purifie le corps.

Manger génère bel et bien des déchets, mais ces derniers sont éliminés dans l'eau contenue dans les selles et l'urine. Cela dit, le jeûne ne permet pas d'éliminer les toxines, au contraire ! Comme le corps est privé d'énergie extérieure, il puise alors dans ses réserves de gras. Or, l'utilisation de ces réserves entraîne la création de substances toxiques, appelées corps cétoniques.

CONCLUSION | Le corps humain est conçu pour recevoir, transformer, utiliser et évacuer la nourriture. Ainsi, nul besoin de jeûner sous prétexte que cela nettoie notre système. Pour un corps en santé, de l'intérieur comme de l'extérieur, optez plutôt pour de bonnes habitudes de vie, incluant une saine alimentation et de l'activité physique sur une base régulière.

] MANGER lentement est meilleur pour la santé.

Manger lentement offre assurément plusieurs bienfaits. Tout d'abord, cela entraîne une meilleure digestion. Puisque la digestion mécanique et chimique débute dans la bouche, plus les aliments sont bien mâchés, moins il reste de travail à faire par la suite. Manger lentement évite également de se gaver puisque le cerveau n'enregistre pas la satiété de façon instantanée. D'ailleurs, manger lentement peut aider à la perte de poids ou, du moins, contribuer à maintenir un poids santé. Finalement, prendre son temps pour savourer chaque bouchée est une excellente façon de se relaxer et de diminuer le stress, tout en intensifiant le plaisir gastronomique!

LE SAVIEZ-VOUS?

Le simple fait de voir et de sentir les aliments permet au cerveau de transmettre un message nerveux à l'estomac, qui amorce alors la sécrétion de suc gastrique, nécessaire à la digestion des aliments.

★ ★ ★

] Mieux vaut MANGER moins à la fois mais plus souvent.

Voilà une question qui nécessite une réponse individuelle. Selon le rythme de vos journées, à vous de trouver la façon idéale de répartir votre énergie (calories). Personnellement, je préfère manger trois repas plus légers et au moins deux collations par jour. De cette façon, j'ai plus d'énergie et je ressens moins la fatigue entre les repas. Idéal lorsqu'on aime manger! Cela dit, si on répartit la même quantité de calories en plusieurs petits repas plutôt qu'en trois, ça ne fait théoriquement pas de différence sur le bilan total de la journée. Par contre, si on mange n'importe quoi, tel que des aliments riches en gras et en sucre, notre santé, notre poids et notre énergie ne s'en porteront certainement pas mieux!

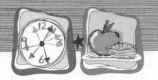

] Les athlètes doivent manger beaucoup plus de PROTÉINES.

La vérité est que les athlètes doivent consommer un peu plus de protéines (ex. : œufs, poulet, poisson) que la population en général, ce qui est facile puisqu'ils mangent de toute façon davantage pour satisfaire leurs besoins accrus en énergie. Or, la recommandation générale pour l'apport protéique est de 0,8 à 1 g de protéines par kilogramme de poids corporel. Selon l'Association canadienne des entraîneurs[5], les athlètes ont des besoins en protéines légèrement supérieurs. Ainsi, les athlètes qui pratiquent des sports d'endurance (ex. : triathlon, cyclisme) ont besoin de 1,2 à 1,4 g de protéines par kilogramme de poids corporel, alors que ceux qui s'adonnent à des sports exigeant de la force (ex. : haltérophilie) ont besoin de 1,6 à 1,7 g par kilogramme. Cet apport est proche de la quantité maximale de protéines que quiconque peut utiliser pour la construction et la réparation des tissus, à l'exception des athlètes adolescents en pleine croissance (1,8 à 2 g de protéines / kg).

Au-delà de ces quantités, le corps transforme les protéines en graisse ! Inutile, donc, d'en consommer trop.

CONCLUSION | Une façon saine de combler vos besoins protéiques, que vous soyez ou non un athlète, consiste à miser sur des sources variées telles que poissons et fruits de mer, volaille, légumineuses (ex. : lentilles, pois chiches), œufs, tofu, viande maigre, lait et fromage.

LE SAVIEZ-VOUS ?

Les protéines jouent un rôle fondamental dans la lutte contre les infections et sont essentielles pour la croissance et la régénération de tous les éléments du corps : elles entrent dans la composition de la peau, des cheveux, des ongles, des organes et, bien sûr, des muscles.

TENEUR EN PROTÉINES DE QUELQUES ALIMENTS (g)	
Poitrine de poulet - 100 g	33
Bifteck de haut de surlonge, maigre - 100 g	28
Saumon - 100 g	22
Œufs à la coque - 2	12,5
Pois chiches - 175 ml (3/4 t)	11
Tofu mi-ferme ou ferme - 100 g	11
Mozzarella - 50 g	10
Lait à 2 % - 250 ml (1 t)	8,5
Yogourt nature 2-4 % - 175 ml (3/4 t)	8
Amandes grillées - 60 ml (1/4 t)	7

Référence:
Fichier canadien sur les éléments nutritifs - Santé Canada, version 2007b.

★ ✖ ★

] **Manger entre les REPAS est une mauvaise habitude.**

Manger entre les repas n'est pas une mauvaise habitude en soi, surtout si les aliments consommés sont nutritifs et que la faim est au rendez-vous. D'ailleurs, manger une collation saine entre les repas aide les grands comme les petits à se procurer des éléments nutritifs essentiels, tels que des antioxy-dants (ex.: fruits) et du calcium (ex.: yogourt). Les en-cas permettent aussi de répartir l'apport en énergie sur toute la journée, contribuant ainsi à maximiser l'énergie, la concentra-tion et la performance, et à prévenir la fatigue entre les repas. Finalement, grignoter intelligemment aide à patienter jusqu'au

prochain repas. Quand on est moins affamé à l'heure du repas, on mange plus lentement et en plus petites quantités, ce qui est excellent pour le tour de taille !

] Les SUPPLÉMENTS de vitamines et de minéraux donnent de l'énergie.

Quand on parle d'énergie, on parle de calories. C'est grâce aux calories contenues dans les aliments que nous avons l'énergie pour vaquer à nos occupations quotidiennes. Or, les vitamines et les minéraux ne fournissent aucune calorie. Encore une fois, l'énergie provient plutôt des aliments que l'on consomme. Les lipides procurent 9 calories par gramme, les glucides et les protéines 4 calories par gramme, et les fibres de 1,5 à 2,5 calories par gramme. Les vitamines et les minéraux sont toutefois indispensables à la vie, car chacun joue un rôle spécifique, et plusieurs aident à utiliser les calories comme source d'énergie contenues dans les aliments (ex. : vitamine B1, magnésium). Pour en connaître davantage sur les vitamines et les minéraux (rôles, meilleures sources, besoins quotidiens), consultez le tableau à la page 171.

] On devrait prendre quotidiennement un SUPPLÉMENT de vitamines et de minéraux.

La plupart des gens en bonne santé peuvent satisfaire leurs besoins nutritionnels en mangeant varié et équilibré. Ainsi, il n'est pas nécessaire d'aller chercher des vitamines et des minéraux dans les suppléments. Cependant, il y a certaines exceptions. Par exemple, les femmes en âge de procréer, celles qui sont enceintes ou qui allaitent devraient prendre une multivitamine contenant de l'acide folique.

Puisque les besoins en fer sont également supérieurs au cours de la grossesse, les femmes enceintes doivent s'assurer que leur supplément vitaminique contient suffisamment de fer. Les besoins en vitamine D augmentent après 50 ans. À cet effet, le Guide alimentaire canadien[7] recommande à tous les adultes de 50 ans et plus de prendre quotidiennement un supplément de vitamine D, en plus d'avoir une saine alimentation. Cette population devrait également opter pour un supplément de vitamine B12, puisqu'elle peut être difficile à absorber après 50 ans.

CONCLUSION I Les suppléments de vitamines et de minéraux ne s'adressent pas à tout le monde. Toutefois, les personnes qui ne consomment pas des produits des quatre groupes alimentaires (voir annexe Guide alimentaire canadien) ou qui ont des besoins particuliers (ex. : grossesse, diète sévère, maladie, problème de santé) peuvent bénéficier d'un supplément. Comme de trop grandes quantités de certains nutriments peuvent être néfastes pour la santé, consultez votre médecin ou votre nutritionniste avant de prendre des suppléments vitaminiques.

LE SAVIEZ-VOUS ?

De plus en plus d'études démontrent le rôle important de la vitamine D dans la prévention de plusieurs maladies chroniques ou de certains cancers (ex. : sein, prostate). Or, la Société canadienne du cancer[8], recommande, après consultation avec un professionnel de la santé :

1) aux adultes vivant au Canada de songer à prendre un supplément quotidien de 1000 unités internationales (UI) de vitamine D en automne et en hiver, saisons où l'apport en vitamine D est limité;

2) aux adultes qui présentent un risque accru d'avoir un niveau de vitamine D trop bas de songer à prendre un supplément quotidien de 1000 UI de vitamine D toute l'année. Ce groupe comprend les personnes de 50 ans et plus, au teint foncé, qui ne vont pas souvent à l'extérieur ou qui portent des vêtements qui couvrent presque toute leur peau.

] **Les produits dits « sans gras TRANS »
sont bons pour la santé.**

Ces produits peuvent être riches en sucre ou en sel, et être pauvres en éléments nutritifs. Par conséquent, les aliments sans gras trans ne sont pas systématiquement intéressants d'un point de vue nutritionnel.

MON CONSEIL I Lisez toujours bien les étiquettes nutritionnelles avant de vous laisser séduire par les allégations !

LE SAVIEZ-VOUS?

Le département de la santé de la Ville de New York a voté une loi qui interdit les gras trans artificiels dans les 24 000 restaurants de la ville. Plus près de chez nous, les restaurants Pacini ont complètement éliminé les gras trans artificiels de leur menu depuis octobre 2005.

] **Il existe des gras TRANS naturels.**

Les gras trans existent naturellement, en petites quantités, dans la viande et les produits laitiers des ruminants (vaches, chèvres, moutons). Cependant, étant donné la faible proportion de gras trans naturels présente dans ces aliments, la consommation normale de viande et de produits laitiers demeure avantageuse pour la santé. Bref, mieux vaut privilégier ce que Dame Nature met à notre disposition que les aliments transformés industriellement !

] **La mention « partiellement hydrogénée » signifie que le produit contient des gras TRANS.**

Les mentions « partiellement hydrogéné », « hydrogéné » ou « shortening » sont de bons indicateurs de la présence de gras trans dans les aliments. Les études révèlent que les gras trans peuvent accroître le risque de maladie cardiaque, d'où l'importance de bien lire les étiquettes nutritionnelles pour les repérer.

MON CONSEIL | Évitez le plus possible les aliments qui en contiennent. En général, on retrouve les gras trans dans la margarine hydrogénée, les aliments frits et panés, les produits de boulangerie (ex. : muffins, croissants), les biscuits, les craquelins, les beignes, les gâteaux et les pâtisseries.

LE SAVIEZ-VOUS ?

Le Canada a été le premier pays à exiger que la teneur en gras trans des aliments préemballés soit indiquée sur les étiquettes nutritionnelles. Depuis son adoption en décembre 2005, un bon nombre d'entreprises ont réduit et même limité les gras trans dans leurs produits. Bonne nouvelle !

Références

1 Diabète Québec : www.diabete.qc.ca
2 *Ibid.*
3 Organisation mondiale de la santé : www.who.int/fr/
4 Santé Canada : www.hc-sc.gc.ca
5 Association canadienne des entraîneurs : www.coach.ca
6 Service Info-Santé : Téléphone 811
7 Guide alimentaire canadien :
   www.santecanada.qc.ca/guidealimentaire
8 Société canadienne du cancer : www.cancer.ca

LÉGUMES ET FRUITS

- Manger de l'AIL diminue la pression artérielle.

- L'AVOCAT est riche en cholestérol.

- Une BANANE équivaut à un steak.

- Les mangeurs de BANANES attirent davantage les moustiques.

- Les BANANES sont cueillies vertes, puis vaporisées de gaz pour les faire mûrir.

- Manger des CAROTTES, c'est bon pour les yeux.

- Les mini-CAROTTES sont traitées avec une eau chlorée.

- Le CÉLERI est un aliment à « calories négatives », c'est-à-dire qu'on perd des calories en le mangeant.

- Frotter l'extrémité d'un CONCOMBRE enlève l'amertume.

- On utilise des fruits et des légumes de moins bonne qualité pour les CONSERVES.

- Les fruits et les légumes en CONSERVE ne sont pas nutritifs.

- Manger des fruits et des légumes COÛTE cher.

- Les ÉPINARDS crus sont très riches en fer.

- Le JUS DE CITRON nettoie l'organisme.

la suite

- L'acidité des JUS DE FRUITS peut causer des dommages aux dents.

- Le JUS DE LÉGUMES est très salé.

- Les LÉGUMES verts peuvent protéger contre la cataracte.

- Les fruits et les légumes contiennent le plus d'éléments nutritifs lorsqu'ils sont à MATURITÉ.

- Certains fruits et légumes vendus dans les supermarchés au Canada contiennent des OGM.

- Le PAMPLEMOUSSE brûle les graisses.

- Il faut éviter de manger du PAMPLEMOUSSE lorsqu'on prend certains médicaments.

- Les fruits et les légumes contiennent trop de PESTICIDES.

- La cire des POMMES est toxique pour la santé.

- La POMME DE TERRE n'est pas bonne pour la santé.

- La POMME DE TERRE BLEUE est génétiquement modifiée.

- Les PRUNEAUX soulagent la constipation.

- Pour une meilleure digestion, il est préférable de manger les fruits avant les REPAS.

- Les fruits sont très riches en SUCRE.

- Les fruits et les légumes SURGELÉS sont très nutritifs.

- La TOMATE aide à prévenir le cancer de la prostate.

] **Manger de l'AIL diminue la pression artérielle.**

Malgré les recherches effectuées sur le sujet, les vertus de l'ail pour diminuer l'hypertension demeurent controversées. Cela dit, l'ail représente un allié par excellence pour rehausser la saveur des plats sans avoir à ajouter beaucoup de sel.

] **L'AVOCAT est riche en cholestérol.**

Le cholestérol est uniquement présent dans les aliments d'origine animale comme les abats (ex. : foie, ris de veau, rognons), les crevettes, le jaune d'œuf, le beurre et la viande. Par contre, l'avocat est riche en matières grasses bonnes pour la santé. En effet, les gras monoinsaturés qui composent majoritairement l'avocat, les mêmes gras que ceux contenus dans l'huile d'olive, sont reconnus pour leur capacité à diminuer le niveau de cholestérol sanguin et, de ce fait, pour leur impact positif sur la santé cardiaque. Ainsi, l'avocat est très nutritif et contient plusieurs éléments bénéfiques (ex. : acide folique, vitamine C et B6, fibres) pour la santé en général.

	AVOCAT 1/2 (100 g)	HUILE D'OLIVE 15 ml (1 c. à soupe)
Énergie (calories)	161	121
Lipides (g)	15	14
Acides gras monoinsaturés (g)	10	10

Référence :
Fichier canadien sur les éléments nutritifs - Santé Canada, version 2007b.

★ ★ ★

] **Une BANANE équivaut à un steak.**

Voilà une croyance complètement farfelue! Ces aliments appartiennent à deux groupes alimentaires distincts et, par conséquent, leur profil nutritionnel est très différent. La banane est riche en glucides et contient plusieurs vitamines, comme de l'acide folique et de la vitamine C. De son côté, le bœuf est riche en protéines et renferme plusieurs minéraux, comme du fer et du zinc, sans compter qu'il contient du cholestérol. Ainsi, le mythe qui raconte que la banane est riche en protéines tombe également à l'eau! En effet, les bananes ne contiennent pratiquement pas de protéines: seulement 1 g par fruit comparativement à 28 g de protéines, en moyenne, pour une portion de viande de 100 g.

	BANANE MOYENNE (118 g)	BŒUF GRILLÉ HAUT DE SURLONGE 100 g
Groupe alimentaire	Légumes et fruits	Viandes et substituts
Énergie (calories)	105	195
Protéines (g)	1	28
Lipides (g)	0,4	8
Cholestérol (mg)	0	69
Glucides (g)	27	0
Fibres (g)	2	0
Vitamine C (mg)	10	0
Acide folique (µg)	24	6
Fer (mg)	0,3	2,7
Zinc (mg)	0,2	6,4

* µg : microgramme. Il y a un million de microgrammes dans un gramme. Un microgramme = 0,001 mg.

Référence :
Fichier canadien sur les éléments nutritifs - Santé Canada, version 2007b.

★ ✦ ★

] **Les mangeurs de BANANES attirent davantage les moustiques.**

Selon le Centre de connaissances sur les insectes[1], aucune étude n'indique qu'en mangeant des bananes les moustiques vont nous aimer encore plus ! Cependant, il est bon de savoir que ces insectes sont attirés par le dioxyde de carbone (CO_2) que dégage notre corps ainsi que par les parfums de certains produits pour le soin des cheveux et de la peau. Bonne nouvelle pour les amateurs de bananes… et de camping !

] **Les BANANES sont cueillies vertes, puis vaporisées de gaz pour les faire mûrir.**

Les bananes sont cueillies avant maturité afin qu'elles ne soient pas trop mûres à leur arrivée sur le marché. Ainsi, les bananes vertes sont placées dans une atmosphère riche en éthylène, qui permet de contrôler leur mûrissement. Ce procédé est avant tout utilisé pour les fruits exotiques et se révèle sans danger pour la santé. L'éthylène est un gaz naturel que la plupart des fruits produisent en quantité variable.

CONCLUSION | Vous pouvez continuer à manger vos bananes en toute quiétude !

LE SAVIEZ-VOUS?

Pour accélérer le mûrissement des fruits, placez-les dans un sac en papier brun avec un fruit qui dégage beaucoup d'éthylène comme une pomme, une banane bien mûre ou une tomate. L'éthylène dégagé par ces fruits entraînera la maturation des fruits tels que poires, pêches et avocats. Pratique comme truc, n'est-ce pas ?

★ ★ ★

] **Manger des CAROTTES, c'est bon pour les yeux.**

La carotte est riche en bêta-carotène, un pigment de la famille des caroténoïdes que le corps transforme en vitamine A. Cette dernière est importante pour le mécanisme de la vision, notamment pour la santé de la rétine et pour la vision nocturne.

MAIS ATTENTION | Si la vitamine A est bonne pour la santé des yeux, il est cependant faux de croire que manger des carottes nous évitera de porter un jour des lunettes !

] Les mini-CAROTTES sont traitées avec une eau chlorée.

Pour prolonger leur durée de conservation, on trempe effectivement les mini-carottes dans une eau chlorée. La quantité de chlore utilisée est faible et réglementée par Santé Canada[2], qui nous assure que cet ajout ne pose aucun danger pour la santé. D'ailleurs, ce chlore n'est pas responsable des taches blanches parfois présentes sur les mini-carottes. Elles résultent plutôt de l'oxydation des carottes au contact de l'air. Si malgré tout ce procédé vous déplaît, optez pour des carottes régulières ou des mini-carottes biologiques... mais continuez à manger ce légume orange nutritif!

★ ★ ★

] Le CÉLERI est un aliment à « calories négatives », c'est-à-dire qu'on perd des calories en le mangeant.

Il est vrai que le céleri est un légume très faible en énergie (en moyenne 6 calories par branche) et que sa texture filandreuse demande une plus longue mastication que celle d'autres aliments plus tendres et moins fibreux. Il est aussi vrai que l'organisme dépense de l'énergie pour digérer les aliments, absorber et transporter les nutriments ainsi que pour stocker les surplus. C'est ce que l'on appelle l'effet thermique de l'alimentation et représente de 7 % à 10 % de la dépense énergétique totale. Concrètement, cela signifie que, pour une personne ayant des besoins énergétiques à 2000 calories, de 140 à 200 calories sont utilisées quotidiennement pour les processus de digestion et d'absorption des nutriments. Par contre, rien ne nous permet d'accorder un nombre précis de calories à la mastication et à la digestion des différents aliments pris séparément. Il n'est pas impossible que la mastication et le processus de digestion du céleri demande plus de 6 calories, mais on ne peut pas l'affirmer hors de tout doute... pour l'instant!

] Frotter l'extrémité d'un CONCOMBRE enlève l'amertume.

La légende veut qu'en frottant le bout du concombre tranché on empêche la « cicatrisation », permettant ainsi au jus du concombre, qui contient l'amertume, de s'écouler. Mais comment frotter une seule extrémité peut-elle réduire l'amertume du concombre en entier ? Bref, aucune étude n'a déterminé que cette technique était fondée.

LE SAVIEZ-VOUS ?

Les fruits et légumes frais sont identifiés par des codes à quatre chiffres. C'est ce que l'on appelle les codes PLU (Price-Look Up ou appel-prix). Ces codes servent à identifier les fruits et les légumes en vrac ou dans des emballages de poids variable ou aléatoire, et sont utilisés pour faciliter les transactions aux caisses. Outre la variété et le prix, cet autocollant apposé sur l'aliment ou sur son emballage spécifie qu'il est cultivé selon les méthodes traditionnelles. Si le chiffre « 9 » est ajouté au début de la série à quatre chiffres, il s'agit d'un produit biologique. Par exemple, le code PLU 4593 désigne un concombre cultivé selon des méthodes traditionnelles, tandis que le code PLU 94593 désigne un concombre biologique.

] On utilise des fruits et des légumes de moins bonne qualité pour les CONSERVES.

Contrairement aux idées reçues, les fruits et les légumes utilisés pour les conserves sont cultivés spécifiquement dans ce but. Il ne s'agit donc pas des « rejetés » de Dame Nature ! Une fois cueillis, ils sont rapidement mis en conserve, et les produits qui ne correspondent pas aux critères de sélection sont mis de côté.

] **Les fruits et les légumes en** CONSERVE
ne sont pas nutritifs.

Même si certaines vitamines sont en partie détruites par le traitement de chaleur que nécessite la stérilisation des fruits et des légumes en conserve, ces aliments offrent une qualité nutritionnelle non négligeable. En effet, les fruits et les légumes sont généralement traités à pleine maturité, lorsque leur fraîcheur et leur valeur nutritive sont maximales, soit peu de temps après la récolte. Pour réduire la teneur en sucre, on privilégie les fruits en conserve dans l'eau ou dans leur jus comparativement à ceux conservés dans un sirop. Pour les légumes, on opte pour ceux sans sel ou à faible teneur en sodium. Sinon, on prend soin de rincer rapidement les aliments en conserve sous l'eau.

CONCLUSION Même si les fruits et les légumes surgelés offrent une qualité nutritionnelle supérieure, leurs équivalents en conserve représentent une façon saine, pratique et économique d'atteindre les 5 à 10 portions de fruits et de légumes recommandées chaque jour par le Guide alimentaire canadien[3] (voir annexe Guide alimentaire canadien). Mieux vaut avoir des petits pois en conserve dans son assiette que pas de légumes du tout!

LE SAVIEZ-VOUS ?

Une tasse (250 ml) de pois verts en conserve comble 21 % des besoins quotidiens en vitamine C et 20 % en acide folique !

] **Manger des fruits et des légumes** COÛTE **cher.**

Manger chaque jour des fruits et des légumes sans se ruiner, c'est possible. On n'a qu'à comparer leur prix à celui des pâtisseries, biscuits, chocolats et friandises glacées pour constater que leur rapport qualité-prix est nettement plus avantageux pour le portefeuille… et le tour de taille! Voici trois menus pour manger 7 portions de fruits et de légumes quotidiennement pour moins de 2,50 $* :

SEPT PORTIONS DE FRUITS ET DE LÉGUMES

Pour 1,93 $

Déjeuner	125 ml (½ t) de jus d'orange (0,24 $) + 125 ml (½ t) de raisins rouges (0,11 $)
Dîner	125 ml (7 unités) de mini-carottes (0,19 $) + 1 kiwi (0,60 $)
Collation	125 ml (½ t) de compote de pommes non sucrée (0,33 $)
Souper	6 asperges fraîches (0,39 $) + 125 ml (½ t) de pommes de terre en purée (0,07 $)

Pour 2,19 $

Déjeuner	125 ml (½ t) de fraises fraîches (0,50 $) + ½ mangue fraîche (0,50 $)
Dîner	125 ml (½ t) de jus de légumes (0,18 $) + 1 poire (0,53 $)
Collation	1 banane (0,18 $)
Souper	125 ml (½ t) de pois mange-tout (0,14 $) 125 ml (½ t) de betteraves grillées (0,16 $)

Pour 2,45 $

Déjeuner	1 pamplemousse rose (1,15 $)
Dîner	250 ml (1 t) de potage au brocoli (0,19 $) + 1 prune (0,26 $)
Collation	125 ml (½ t) de crudités (ex. : poivron jaune et chou-fleur mauve) (0,28 $)
Souper	250 ml (1 t) de macédoine de légumes surgelés (0,57 $)

* Les prix ont été relevés dans une épicerie québécoise en octobre 2008.

Quelques trucs pour de bonnes aubaines :

- Choisir des fruits et des légumes frais de saison.

- Profiter des périodes d'abondance pour faire des réserves de surgelés (ex. : petits fruits, potages).

- Feuilleter les circulaires pour repérer les spéciaux de la semaine.

- Pour éviter les pertes et, du même coup, avoir des produits frais à consommer toute la semaine, acheter les fruits et les légumes à des stades de maturité différents.

- Récupérer les fruits et les légumes défraîchis ou abîmés pour concocter des potages, salades de fruits, muffins, sauces, etc.

CONCLUSION | Ce qui coûte cher, ce n'est pas tant ce que l'on achète, mais bien ce que l'on jette !

★ ★ ★

] **Les ÉPINARDS crus sont très riches en fer.**

Ce légume vert contient certes du fer, mais pas autant qu'on le croit. La légende du fer dans les épinards est née de la faute de frappe d'une secrétaire, qui multiplia par dix le taux réel contenu dans les épinards. Passée inaperçue pendant des dizaines d'années, cette erreur induisit le monde entier en erreur… et donna naissance au légendaire Popeye le marin ! Malgré tout, les épinards demeurent un des légumes les plus riches en vitamines et minéraux : fer, acide folique, magnésium, vitamines A, K et B6, manganèse, cuivre, etc. De plus, ils sont riches en lutéine et en zéaxanthine, deux antioxydants bénéfiques pour la santé des yeux.

Pour la même portion, les épinards cuits contiennent près de 8 fois plus de fer que les épinards crus étant donné leur poids plus élevé. Ainsi, 125 ml (½ t) d'épinards cuits (95 g) contiennent 3,39 mg de fer comparativement à 0,43 mg pour la même quantité d'épinards crus (0,16 g). À noter que les femmes ont des besoins quotidiens en fer deux fois plus élevés que les hommes en raison de leurs règles : 18 mg comparativement à 8 mg. Après la ménopause, avec l'arrêt des règles, leurs besoins rejoignent ceux des hommes (8 mg).

CONCLUSION ! Ne misez pas seulement sur les épinards pour faire le plein de fer !

SOURCES ALIMENTAIRES DE FER	
Foie de porc, braisé - 100 g	18 mg
Moules, vapeur - 100 g	6,7 mg
Céréales à déjeuner, flocons de son - 250 ml (1 t)	6,2 mg
Cheval, rôti - 100 g	5 mg
Pois chiches, bouillis - 250 ml (1 t)	5 mg
Bifteck de faux-filet, grillé - 100 g	3,6 mg
Épinards, cuits (95 g) - 125 ml (1/2 t)	3,4 mg
Amandes - 60 ml (1/4 t)	1,6 mg
Saumon, grillé - 100 g	1 mg
Épinards, crus (32 g) - 250 ml (1 t)	0,9 mg
Raisins secs - 60 ml (1/4 t)	0,7 mg
Poulet, poitrine, rôtie - 100 g	0,6 mg

Référence:
Fichier canadien sur les éléments nutritifs - Santé Canada, version 2007b.

LE SAVIEZ-VOUS ?

Le fer existe sous deux formes dans les aliments. D'abord, il y a le fer « héminique » présent dans la viande, la volaille et les fruits de mer. Ensuite, le fer « non héminique » retrouvé dans les aliments d'origine végétale, comme les fruits, les légumes, les légumineuses et dans certains produits céréaliers enrichis en fer. Le corps absorbe mieux le fer héminique en comparaison du fer non héminique. Ainsi, pour mieux assimiler le fer des végétaux, il est recommandé de consommer au même moment des aliments riches en vitamine C (ex. : agrumes, fraises, poivrons, pommes de terre).

] Le JUS DE CITRON nettoie l'organisme.

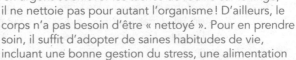

Même si le jus de citron semble efficace pour nettoyer les bijoux en argent et enlever les tâches de rouille sur le linge, il ne nettoie pas pour autant l'organisme! D'ailleurs, le corps n'a pas besoin d'être « nettoyé ». Pour en prendre soin, il suffit d'adopter de saines habitudes de vie, incluant une bonne gestion du stress, une alimentation équilibrée et de l'activité physique sur une base régulière. Cela dit, boire une eau aromatisée avec des rondelles ou du jus de citron est très rafraîchissant!

★ ★ ★

] L'acidité des JUS DE FRUITS peut causer des dommages aux dents.

Lorsque l'acidité des aliments attaque l'émail qui recouvre les dents, elles deviennent plus minces et jaunâtres. Cet effritement, que l'on appelle érosion dentaire, entraîne une sensibilité des dents au chaud et au froid.

Parmi les aliments acides, notons les jus de fruits mais également les boissons gazeuses et énergisantes, le miel, les agrumes, les cornichons et le vinaigre. Voici six trucs pour prévenir l'érosion dentaire selon le dentiste Elie Stephan[4] :

1. Attendre de 30 à 60 minutes après avoir mangé des aliments acides avant de se brosser les dents. Cette période permet à la salive de neutraliser l'acidité en bouche et de redurcir lentement l'émail dentaire.

2. Espacer la consommation de fruits tout au long de la journée et non à l'intérieur d'un seul repas. En d'autres termes, ne pas grignoter des fruits toute la journée.

3. Boire les jus de fruits et les boissons gazeuses avec une paille afin de diminuer le contact avec les dents. Encore mieux, remplacer les boissons gazeuses par de l'eau !

4. Accompagner les aliments acides d'un aliment alcalin (ex. : noix, morceau de fromage).

5. Après avoir mangé des aliments acides, utiliser une gomme à mâcher sans sucre pour augmenter la quantité de salive dans la bouche et, par le fait même, diminuer l'acidité. Ou encore, employer un rince-bouche fluoré.

6. Finalement, utiliser une brosse à dents ultra-souple et un dentifrice fluoré.

LE SAVIEZ-VOUS ?

Il existe du jus de légumes réduit en sodium, qui contient près de quatre fois moins de sel que la version originale.

★ ★ ★

] **Le JUS DE LÉGUMES est très salé.**

Une 250 ml (1 t) de jus de légumes renferme en moyenne 690 mg de sodium, alors que la consommation quotidienne maximale est estimée à 2300 mg pour les adultes en bonne santé. Il est donc indéniable que le jus de légumes est riche en sel. Il est toutefois important de ne pas évaluer la qualité d'un aliment à partir d'une seule valeur. Malgré sa teneur élevée en sodium, le jus de légumes représente un choix de boisson très intéressant (sauf pour les personnes souffrant d'hypertension sévère), qui offre divers éléments nutritifs tels que des fibres, des vitamines (ex. : A, E, B3, B6) et des minéraux (ex. : magnésium, manganèse).

LE SAVIEZ-VOUS ?

L'industrie alimentaire utilise le sel en grande quantité dans les aliments transformés, comme les charcuteries, les repas surgelés, les croustilles, les craquelins, les sauces et les soupes en sachet ou en conserve, les condiments et les jus de légumes ou de tomates. Mais le sel se cache aussi dans les aliments plus sucrés, comme les céréales à déjeuner, les gâteaux et les biscuits. Pour repérer facilement la teneur en sel des aliments, prenez soin de bien lire les étiquettes nutritionnelles.

] Les LÉGUMES verts peuvent protéger contre la cataracte.

Les légumes verts (ex. : épinards, chou vert, brocoli, pois verts) ainsi que certains légumes orangés ou jaunes (ex. : courge, maïs) contiennent de la lutéine et de la zéaxanthine, deux antioxydants qui semblent exercer un effet protecteur contre les maladies de l'œil liées à l'âge : la cataracte et la dégénérescence de la rétine. Cette dernière, également appelée dégénérescence maculaire, est la principale cause de cécité chez les Canadiens de plus de 50 ans. Or, pour faire le plein d'éléments nutritifs et pour protéger notre vision, une bonne stratégie consiste à augmenter notre consommation de fruits et de légumes colorés au quotidien !

LE SAVIEZ-VOUS ?

Les fruits et les légumes ont un effet favorable sur la santé cardio-vasculaire pour diverses raisons. D'abord, ils sont pauvres en matières grasses et contiennent des fibres pouvant aider à diminuer le cholestérol sanguin. Ensuite, ils contiennent du potassium et du magnésium, contribuant à maintenir une pression artérielle normale. De son côté, l'acide folique peut réduire de façon importante le taux d'homocystéine, un acide aminé associé aux maladies cardiovasculaires lorsque le taux sanguin est élevé.

★ ★ ★

] Les fruits et les légumes contiennent le plus d'éléments nutritifs lorsqu'ils sont à MATURITÉ.

Les fruits et les légumes sont remplis de composés bénéfiques pour la santé, dont un grand nombre se trouve dans les pigments mêmes. Par exemple, le pigment naturel qui donne aux tomates leur belle couleur rouge aiderait à combattre le cancer de la prostate alors que la couleur jaune du maïs protégerait la vision. Les pigments protecteurs des fruits et des légumes comptent parmi les antioxydants les plus puissants. Lorsque les fruits mûrissent, les pigments eux-mêmes deviennent plus denses. Par exemple, la quantité d'anthocyanines (antioxydants), double ou triple entre le moment où les bleuets commencent à bleuir et leur maturité[5]. De plus, en mûrissant, les fruits et les légumes accumulent une plus grande quantité de vitamines et de minéraux.

CONCLUSION | Pour un maximum d'éléments nutritifs, choisir les fruits et les légumes dont les couleurs sont les plus intenses. Par exemple, les fraises et les tomates les plus rouges, le brocoli et les choux de Bruxelles les plus verts. La couleur, c'est la santé !

LE SAVIEZ-VOUS ?

Une alimentation riche en fruits et légumes est bénéfique pour la santé des os. En effet, ces aliments contiennent des substances tampons (ex. : bicarbonates) capables de neutraliser les excès d'acidité qui peuvent stimuler la déminéralisation du tissu osseux et ainsi mener à l'ostéoporose.

★ ✖ ✦

] **Certains fruits et légumes vendus dans les supermarchés au Canada contiennent des OGM.**

Un organisme génétiquement modifié (OGM) est un organisme vivant auquel on a ajouté un ou des gènes pour lui donner un caractère spécifique (exemples d'OGM : une bactérie produisant de l'insuline humaine, un maïs résistant aux insectes). Selon le gouvernement du Québec[6] : « Aucun fruit ni légume destiné à la consommation humaine, vendu au

Canada, ne contient à l'heure actuelle d'organismes génétiquement modifiés (OGM). » Cela dit, le gouvernement fédéral a
approuvé quatre fruits et légumes génétiquement modifiés
(pomme de terre, courge, tomate, papaye) pour la commercialisation au Canada. Cependant, pour des raisons de marchés ou
climatiques, ils ne sont pas cultivés au Canada pour le moment.
Par contre, il est possible de retrouver du canola et du soya
(ex. : huile, farine) génétiquement modifiés dans les magasins
d'alimentation au Canada.

CONCLUSION | Comme il n'existe pas, pour l'instant au
Canada, de programme obligatoire de détection et de
traçabilité des OGM, il est impossible d'être certain qu'aucun
fruit ni légume n'en contient. À quand l'étiquetage obligatoire ?

LE SAVIEZ-VOUS ?

En 1994, la marque de tomates Flavr SavrMD, à mûrissement retardé,
a été la première plante génétiquement modifiée commercialisée.
Cependant, elle a rapidement été retirée du marché canadien devant
l'indifférence des consommateurs qui, déplorant son mauvais goût,
n'achetaient pas le produit.

] Le PAMPLEMOUSSE brûle les graisses.

Si c'était vrai, toutes les personnes qui mangent du
pamplemousse seraient minces ! Aucun aliment ni pilule
n'a le pouvoir de faire maigrir. C'est plutôt l'ensemble
des habitudes de vie qui influence le tour de taille.
Si vous n'êtes pas encore convaincu, faites le test : versez du jus
de pamplemousse sur une livre de beurre et laissez agir.
Si la brique disparaît au bout de quelques jours, les
scientifiques seront tous confondus !

] Il faut éviter de manger du PAMPLEMOUSSE lorsqu'on prend certains médicaments.

Selon Santé Canada[7], le pamplemousse contient diverses substances qui peuvent interférer avec le mode d'assimilation de certains médicaments par l'organisme. Par conséquent, la quantité de médicaments dans le sang peut augmenter et ainsi entraîner des effets secondaires graves. Or, plusieurs classes de médicaments sont susceptibles d'entrer en interaction avec le pamplemousse et son jus. Ils sont destinés à traiter diverses maladies :

- angine de poitrine;
- cancer;
- dépression;
- reflux gastro-intestinaux;
- hypercholestérolémie;
- infection;
- rejet d'un greffon;
- anxiété;
- convulsions;
- dysfonction érectile;
- hypertension artérielle;
- VIH/sida;
- rythme cardiaque irrégulier;
- problèmes psychotiques.

CONCLUSION | Il est donc recommandé d'éviter de boire du jus ou de manger du pamplemousse si on prend un médicament pour l'une des conditions mentionnées ci-dessus. Si vous soupçonnez une interaction possible avec votre ordonnance médicale, parlez-en à votre médecin ou pharmacien.

LE SAVIEZ-VOUS ?

Le tangelo, l'orange de Séville (orange amère) ou leur jus peuvent interagir avec certains médicaments et avoir un effet similaire à celui du jus de pamplemousse. La plupart des autres agrumes, comme les citrons, les limes, les oranges sucrées, les clémentines et les tangerines, sont considérés comme sans danger.

] Les fruits et les légumes contiennent trop de PESTICIDES.

En 2004-2005, l'Agence canadienne d'inspection des aliments (ACIA)[8] a effectué plus de 11 000 analyses sur des fruits et légumes frais cultivés au Canada. Résultat, 0,2 % de ces aliments excédaient les seuils sécuritaires sous lesquels les autorités sanitaires estiment que les pesticides n'ont pas d'effet nocif sur la santé. En 2005-2006, la Direction des laboratoires d'expertises et d'analyses alimentaires (DLEAA) du ministère de l'Agriculture, des Pêcheries et de l'Alimentation (MAPAQ)[9] a analysé près de 500 échantillons de fruits et légumes frais du Québec, dont 1,5 % affichait des concentrations au-delà de la norme légale. Du côté des fruits et légumes importés, bonne nouvelle : selon l'ACIA, sur près de 25 000 échantillons analysés en 2004-2005, seulement 0,6 % excédait les limites permises !

MYTHE

Voici quelques mesures pour réduire l'exposition aux pesticides des fruits et légumes. Ces conseils sont d'autant plus importants pour les enfants, qui forment un groupe plus vulnérable, car les normes sécuritaires en matière de pesticides ont été calculées pour des adultes :

• Bien laver tous les légumes et les fruits puisqu'une partie des pesticides se retrouvent à la surface des aliments.

• Jeter les feuilles extérieures de la laitue, du chou et des autres légumes feuillus, et bien laver le reste.

• Bien frotter sous l'eau courante les légumes à peau épaisse comme les carottes, le panais et les pommes de terre. Faire de même avec les agrumes (ex. : lime, citron) avant d'utiliser leur zeste.

• Pour les petits fruits (ex. : framboises, fraises, bleuets), les rincer délicatement au tamis, car ils sont fragiles.

CONCLUSION | Les nombreux avantages pour la santé de consommer des fruits et des légumes ont été démontrés à maintes reprises, dépassant largement les inconvénients reliés aux résidus de pesticides. D'ailleurs, la Société canadienne du cancer[10] mentionne que la consommation quotidienne de 5 à 10 portions de fruits et de légumes peut contribuer à réduire le risque de cancer.

★ ★ ★

] **La cire des POMMES est toxique pour la santé.**

Avant leur arrivée en épiceries, les pommes sont généralement lavées puis brossées afin de les rendre plus attrayantes. Puisque ces opérations enlèvent le film naturel protecteur des pommes, on les enduit d'une cire pour les empêcher de se déshydrater. Or, cette cire contient une petite quantité de morpholine (un solvant et un émulsifiant), souvent accusée d'être dangereuse pour la santé. Seule, la morpholine ne semble pas nocive. Toutefois, en présence d'un excès de nitrite, provenant des nitrates naturels présents dans l'alimentation (ex. : légumes, charcuteries, eau), elle peut s'altérer et former une substance cancérigène. Selon Santé Canada[11], la quantité de morpholine présente dans la cire des pommes est beaucoup trop faible pour entraîner une telle réaction dans le corps. Par conséquent, Santé Canada conclut que la morpholine utilisée actuellement dans la cire d'enrobage des fruits et des légumes ne représente pas un risque pour la santé.

] La POMME DE TERRE n'est pas bonne pour la santé.

Voilà une croyance alimentaire bien loin de la réalité !
La pomme de terre est un légume très intéressant d'un point
de vue nutritionnel, surtout lorsqu'elle est consommée
avec sa pelure. À titre d'exemple, une pomme de terre
moyenne avec pelure, cuite au four, contient :

- autant de vitamine C que 2 pommes ;
- deux fois plus de potassium qu'une banane ;
- autant de fibres que 6 pruneaux séchés ;
- plus de fer que 250 ml (1 t) d'épinards crus.

De plus, cette même pomme de terre contient moins
de calories que 250 ml (1 t) de riz blanc à grains longs.
Évidemment, tout se joue dans la façon de l'apprêter.
Ainsi, allez-y mollo avec les accompagnements plus gras et
caloriques (ex : beurre, margarine) et gardez la friture
(ex. : frites, croustilles) pour les occasions spéciales !

LE SAVIEZ-VOUS ?

La pomme de terre est un légume et non un produit céréalier comme
les pâtes, le riz et les céréales. Ainsi, selon le Guide alimentaire canadien[12], une pomme de terre cuite au four comble deux portions de
légumes alors que 125 ml (½ t) de purée comble une portion.

] La POMME DE TERRE BLEUE est génétiquement modifiée.

La chair bleu-mauve de ce légume ne résulte pas d'une
quelconque manipulation génétique ou de l'ajout d'un
colorant. Sa coloration vient plutôt de pigments appelés
« anthocyanines », qu'on retrouve également dans

certains fruits et légumes comme les bleuets et les mûres.
Les anthocyanines sont de puissants antioxydants capables
de neutraliser les « radicaux libres », l'une des causes du
vieillissement de nos cellules. Ainsi, la pomme de terre bleue
contient plus d'antioxydants que la pomme de terre à chair
blanche !

] **Les PRUNEAUX soulagent la constipation.**

 L'effet laxatif des pruneaux serait attribuable, entre autres,
à une substance qui stimulerait le péristatisme intestinal.

MAIS ATTENTION! Comme tout produit laxatif, la consommation de pruneaux, de confiture ou de jus de pruneaux ne
devrait pas se faire sur une base quotidienne et à long terme.
On les utilise plutôt en petites quantités à la fois et seulement pour quelques jours. Pour prévenir la constipation, il est
recommandé de manger plus de fibres (ex. : céréales à grains
entiers, légumineuses, fruits et légumes avec la pelure), de
boire suffisamment, de bouger physiquement chaque jour et
de bien gérer son stress. De plus, il est important de répondre
au besoin d'aller à la selle dès qu'il se présente pour éviter que
l'évacuation devienne plus difficile.

LE SAVIEZ-VOUS?

Un usage prolongé de laxatifs peut rendre les intestins paresseux, ce
qui risque de constiper davantage lorsqu'on cessera de les prendre.

] Pour une meilleure digestion, il est préférable de manger les fruits avant les REPAS.

Il existe toutes sortes de théories affirmant qu'il est préférable de manger les fruits avant les repas, mais rien de tel n'a été prouvé scientifiquement. L'une de ces théories est que les enzymes digestifs seraient moins efficaces quand il y a plusieurs types d'aliments dans le système digestif, d'où l'intérêt d'isoler les fruits. Cependant, les enzymes digestifs sont assez puissants et nombreux pour être capables de digérer plusieurs types d'aliments en même temps (voir section Alimentation générale). De plus, l'ordre du repas est purement culturel : dans certains pays, les fruits sont des entrées et, dans d'autres, des desserts. Finalement, est-ce que vous avez déjà pensé que, d'un point de vue botanique, les tomates, les concombres et plusieurs autres végétaux que nous considérons comme des légumes sont en réalité des fruits ?

CONCLUSION | Allez-y selon votre tolérance. Si vous ressentez des inconforts digestifs à manger les fruits en fin de repas, mangez-les tout simplement avant. Sinon, arrêtez de vous casser la tête et mangez-les quand bon vous semble... mais, surtout, mangez-en !

LE SAVIEZ-VOUS ?

En botanique, le mot « fruit » désigne la partie d'une plante renfermant les graines et se développant après que la fleur a été fécondée. Malgré cette définition, plusieurs fruits botaniques sont considérés en cuisine comme des légumes : tomate, concombre, aubergine, poivron, courge, avocat, etc.

] **Les fruits sont très riches en SUCRE.**

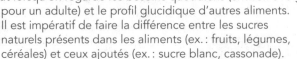

La quantité de glucides d'une portion moyenne de fruits est d'environ 15 à 20 g. Cette quantité de glucides est minime, surtout lorsqu'on regarde les besoins quotidiens (environ 310 g pour un adulte) et le profil glucidique d'autres aliments. Il est impératif de faire la différence entre les sucres naturels présents dans les aliments (ex. : fruits, légumes, céréales) et ceux ajoutés (ex. : sucre blanc, cassonade). Ces derniers n'apportent que de l'énergie, sans aucune valeur nutritive ou presque. D'ailleurs, les recommandations en matière de saine alimentation suggèrent de consommer chaque jour de 2 à 4 portions de fruits.

CONCLUSION | Il est tout à notre avantage de réduire notre consommation d'aliments moins sains, comme les pâtisseries et les sucreries, plutôt que de limiter notre apport en fruits. De plus, les fruits sont peu caloriques et tiennent une place de choix dans une alimentation équilibrée.

TENEUR EN GLUCIDES (g) DE QUELQUES ALIMENTS	
Jujubes - 20	14
Guimauves - 10 grosses	12
Crème glacée molle à la vanille - 250 ml (1 t)	8
Boisson gazeuse - 1 cannette (355 ml)	8
Confiture - 30 ml (2 c. à soupe)	5,5
Chocolat commercial - 1 petite barre d'environ 47 g	5
Biscuits à la mélasse - 2	4,5
Fruits - 1 portion moyenne	3 ou 4

* 1 sachet de sucre équivaut à 5 g de glucides.

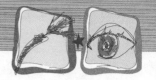

Les personnes diabétiques peuvent manger plusieurs fruits chaque jour, soit de 2 à 4 portions. Cependant, la plupart ont avantage à ne consommer qu'une portion de fruits à la fois. De cette façon, ils obtiennent de précieux éléments nutritifs ainsi qu'un contrôle optimal de leur glycémie (taux de sucre dans le sang)[13].

] Les fruits et les légumes SURGELÉS sont très nutritifs.

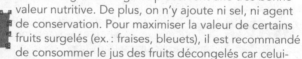

Parce qu'ils sont cueillis à pleine maturité et qu'il ne s'écoule que quelques heures entre leur récolte et leur transformation, les fruits et les légumes surgelés préservent une très bonne valeur nutritive. De plus, on n'y ajoute ni sel, ni agent de conservation. Pour maximiser la valeur de certains fruits surgelés (ex.: fraises, bleuets), il est recommandé de consommer le jus des fruits décongelés car celui-ci contient des éléments nutritifs. Pratiques, sans perte et vite préparés, les fruits et les légumes surgelés représentent une bonne alternative pour atteindre les 5 à 10 portions recommandées chaque jour.

Voici quelques trucs pour préserver la valeur nutritive des fruits et des légumes:
- Ne pas couper à l'avance les fruits et les légumes puisque plusieurs vitamines sont détruites en présence d'oxygène ou de lumière.
- Privilégier les produits frais de saison.

- Garder la pelure des légumes frais et les cuire en gros morceaux plutôt qu'en petits cubes.
- Manger des crudités et des fruits frais chaque jour.
- Opter pour des modes de cuisson rapides, nécessitant le moins d'eau possible (ex. : vapeur, wok, micro-ondes, poêle), car certains nutriments sont hydrosolubles et sensibles à la chaleur (ex. : vitamine C).
- Cuisiner les légumes surgelés immédiatement à leur sortie du congélateur, sans les décongeler. Il convient parfaitement de les cuire à la vapeur, au wok et à la poêle.

★ ★ ★

] La TOMATE aide à prévenir le cancer de la prostate.

Selon plusieurs chercheurs, le pigment responsable de la couleur rouge de la tomate (lycopène) pourrait aider les hommes à se protéger du cancer de la prostate.

Cependant, les résultats obtenus jusqu'à présent indiquent que la quantité de lycopène requise pour observer un impact positif est relativement élevée.

BON À SAVOIR | Le lycopène serait absorbé plus efficacement par le corps lorsque la tomate est cuite ou combinée à une source de gras (ex. : huile d'olive). Ainsi, les produits transformés à base de tomate sont particulièrement riches en lycopène (voir le tableau ci-dessous). En revanche, lorsqu'elle est cuite, la tomate perd de la vitamine C.

ALIMENT	TENEUR EN LYCOPÈNE
Sauce tomate, en conserve - 125 ml (1/2 t)	20 mg
Soupe aux tomates en conserve, condensée, préparée avec de l'eau - 250 ml (1 t)	14 mg
Jus de tomates - 125 ml (1/2 t)	11,5 mg
Pâte de tomate, en conserve - 15 ml (1 c. à soupe)	4,5 mg
Tomate fraîche, crue - 1 moyenne (123 g)	3 mg

Référence:
Fichier canadien sur les éléments nutritifs - Santé Canada, version 2007b.

LE SAVIEZ-VOUS?

Le pamplemousse rose, le melon d'eau et l'abricot contiennent de petites quantités de lycopène, reconnu pour son effet protecteur probable contre le cancer de la prostate.

Références

[1] Centre de connaissances sur les insectes : www.infoinsectes.ca

[2] Santé Canada : www.hc-sc.gc.ca

[3] Guide alimentaire canadien :
www.santecanada.gc.ca/guidealimentaire

[4] Dentiste Elie Stephan :
917, boulevard Saint-Joseph Est, Montréal, 514 727-6830

[5] JOSEPH (James A.), NADEAU (Dr Daniel A) et UNDERWOOD
(Anne). *Variez les couleurs dans votre assiette : mangez santé*,
Éditions de l'Homme. 2004.

[6] Gouvernement du Québec – Source d'information sur les
organismes génétiquement modifiés : www.ogm.gouv.qc.ca

[7] Santé Canada : www.hc-sc.gc.ca

[8] Agence canadienne d'inspection des aliments :
www.inspection.gc.ca

[9] Ministère de l'Agriculture, des Pêcheries et de l'Alimentation :
www.mapaq.gouv.qc.ca

[10] Société canadienne du cancer : www.cancer.ca

[11] Santé Canada : www.hc-sc.gc.ca

[12] Guide alimentaire canadien :
www.santecanada.gc.ca/guidealimentaire

[13] Diabète Québec : www.diabete.qc.ca

PRODUITS CÉRÉALIERS

- Un BAGEL contient autant de glucides
  que trois tranches de pain.

- Fabriquée à partir de céréales, la BIÈRE fait partie
  du groupe des produits céréaliers.

- Les CROISSANTS sont aussi gras que certains beignes.

- La FARINE intégrale est la plus nutritive.

- Le GRUAU peut aider à diminuer le cholestérol.

- Les MUFFINS commerciaux aux fruits sont des choix santé.

- La mention « MULTIGRAIN » est gage de santé.

- Le PAIN et les PÂTES font grossir.

- Les PAINS SANS GRAS NI SUCRE AJOUTÉS sont meilleurs
  pour la santé.

- Les PRODUITS CÉRÉALIERS ne sont pas essentiels.

- Les PÂTES AUX LÉGUMES sont plus nutritives
  que les pâtes blanches.

- Le RIZ basmati blanc est aussi bon pour la santé
  que le riz brun.

] Un BAGEL contient autant de glucides que trois tranches de pain.

RÉALITÉ

D'un point de vue nutritionnel, le bagel se rapproche beaucoup du pain. Toutefois, étant donné sa densité supérieure, un bagel de grosseur moyenne contient trois fois plus de glucides qu'une tranche de pain de blé entier et donc plus de calories. Selon le Guide alimentaire canadien, un bagel moyen (90 g) correspond à deux portions de produit céréalier.

ALIMENT	ÉNERGIE (calories)	GLUCIDES (g)	LIPIDES (g)
Bagel nature - 90 g	244	48	1,4
Tranche de pain de blé entier - 35 g	86	16	1,5

Référence:
Fichier canadien sur les éléments nutritifs - Santé Canada, version 2007b.

] Fabriquée à partir de céréales, la BIÈRE fait partie du groupe des produits céréaliers.

MYTHE

C'est amusant, car les femmes ne me posent jamais cette question! Malheureusement, messieurs, la bière n'est pas assez nutritive pour être considérée comme un produit céréalier, sans oublier qu'elle contient de l'alcool. Obtenue par la fermentation d'eau, de malt (orge ou autres céréales) et de houblon, la bière n'apporte que de petites quantités de niacine (B3), d'acide folique (B9), de vitamine B6 et de quelques minéraux tels que le phosphore et le magnésium. Une cannette (355 ml) de bière régulière à 5 % d'alcool fournit 146 calories dont les deux tiers proviennent de l'alcool. Cela dit, consommer de l'alcool de façon modérée peut faire partie d'une saine alimentation.

] Les CROISSANTS sont aussi gras que certains beignes.

Parfois, les croissants sont même plus gras et plus caloriques que les beignes! C'est la superposition des couches de pâte et des couches de beurre (ou de corps gras) qui donne au croissant son feuilleté particulier et sa mie si savoureuse. Malheureusement, cette viennoiserie offre principalement des gras saturés et des gras trans, deux types de lipides reconnus pour faire augmenter le taux de cholestérol dans le sang. Voilà pourquoi il est préférable de n'en consommer qu'à l'occasion. D'ailleurs, le Guide alimentaire canadien[1] ne considère pas le croissant comme un produit céréalier!

	ÉNERGIE (calories)	LIPIDES (g)
Croissant - 57 g	231	12
Beigne roussette givré - 41 g	169	7,5

Référence:
Fichier canadien sur les éléments nutritifs - Santé Canada, version 2007b.

★ ★ ★

] La FARINE intégrale est la plus nutritive.

Lors de la transformation des grains en farine, on peut choisir d'exclure ou de conserver certaines parties du grain. Dans le cas de la farine intégrale, toutes les parties du grain (son, endosperme et germe) ont été conservées. Il s'agit de la farine la plus complète et la plus nutritive. Toutefois, comme elle se conserve moins longtemps, elle est moins utilisée en boulangerie industrielle. On l'appelle aussi « farine moulue sur pierre ».

Son : enveloppe extérieure du grain qui contient des fibres, des vitamines du complexe B et des minéraux.

Endosperme : partie interne du grain où se trouvent surtout les glucides (amidon) ainsi que des protéines et une petite quantité de vitamines et de minéraux.

Germe : partie facilement périssable qui contient des bons gras, des vitamines du complexe B et des minéraux.

La **farine de blé** « entier » contient au moins 95 % du grain de blé. Or, cette farine contient principalement l'endosperme et le son ; le germe est presque entièrement exclu parce qu'il nuit à la conservation de la farine.

À NOTER | Les termes « farine de blé » ou « farine de blé concassé », sans le mot « entier », sont simplement de la farine blanche.

La **farine blanche** (tout usage) n'a plus de son ni de germe. C'est la farine la moins riche en fibres. Pour la rendre plus nutritive, le gouvernement canadien exige qu'elle soit enrichie des micronutriments perdus lors de la transformation. Ainsi, on ajoute systématiquement à la farine blanche cinq éléments nutritifs : thiamine (B1), riboflavine (B2), niacine (B3), acide folique (B9) et fer. C'est ce qu'on entend par farine « enrichie ». Pour lui donner sa couleur blanche, on fait appel à des additifs alimentaires (ex. : bioxyde de chlore, peroxyde de benzoyle). Mais qu'elle soit blanche ou non blanchie, la farine tout usage possède la même valeur nutritive. Il s'agit d'une farine raffinée et obligatoirement enrichie.

★ ★ ★

] **Le GRUAU peut aider à diminuer le cholestérol.**

D'après diverses études, les fibres solubles présentes dans les flocons d'avoine cuits (gruau), par exemple, contribuent à diminuer le taux de cholestérol sanguin, spécialement lorsque celui-ci est élevé. Cet effet est d'autant plus marqué lorsque la consommation de fibres solubles est

combinée à un régime faible en gras saturés et trans. À lui seul, le gruau ne fait donc pas de miracles ! De plus, une alimentation saine, riche en fruits et légumes, ainsi que le maintien d'un poids santé constituent de bonnes stratégies pour réduire le cholestérol sanguin.

LE SAVIEZ-VOUS ?

Il existe deux types de fibres alimentaires, classées selon leur capacité de se dissoudre dans l'eau : solubles et insolubles. Tous les aliments contenant des fibres fournissent une certaine quantité des deux types de fibres.

FIBRES SOLUBLES
Rôles : Les fibres solubles forment un gel avec l'eau et peuvent ainsi abaisser le taux de cholestérol sanguin et aider à contrôler le taux de sucre dans le sang (glycémie).

Meilleures sources : psyllium, son d'avoine, farine d'avoine, légumineuses (ex. : pois chiches, lentilles, haricots rouges), graines de lin, fruits riches en pectine (ex. : pomme, fraises, agrumes, poire), légumes, orge.

FIBRES INSOLUBLES
Rôles : Dans l'intestin, les fibres insolubles se gorgent d'eau, augmentent le volume des selles et aident ainsi à maintenir une bonne régularité intestinale. De plus, elles favorisent la satiété, ce qui contribue au contrôle de l'appétit et du poids. Elles pourraient aussi jouer un rôle important dans la prévention de certains cancers.

Meilleures sources : son et céréales de blé, son de maïs, aliments à base de grains entiers (ex. : pain et pâtes de blé entier), légumes et fruits avec pelure, noix et graines (ex. : lin), légumineuses (ex. : pois chiches, lentilles, haricots rouges).

] Les MUFFINS commerciaux aux fruits sont des choix santé.

Pour le déjeuner ou pour une pause bien méritée, les muffins commerciaux représentent très rarement des choix santé, même lorsqu'ils sont faits de fruits (ex.: banane, bleuets), de grains entiers ou qu'ils sont dits « légers ». Pourquoi? Parce qu'ils contiennent généralement beaucoup trop de sucre, de gras et de calories. Comme vous pouvez le constater dans le tableau ci-dessous, les muffins commerciaux ressemblent davantage à des pâtisseries qu'à des produits céréaliers. Si vous aimez les muffins, mieux vaut les préparer vous-même !

MYTHE ★

VALEUR NUTRITIVE DE QUELQUES MUFFINS COMMERCIAUX

ALIMENT	ÉNERGIE (calories)	GRAS* (g)	GLUCIDES** (g)
Muffin aux bleuets, réduit en gras	290	2,5 = 0,5 carré de beurre	62 = 12 sachets de sucre
Muffin aux bleuets	330	11 = 2,75 carrés de beurre	55 = 11 sachets de sucre
Muffin aux framboises et céréales entières	400	17 = 4,25 carrés de beurre	58 = 11,5 sachets de sucre
Muffin blé entier et carottes	400	19 = 4,75 carrés de beurre	55 = 11 sachets de sucre

* 1 carré de beurre = 4 g de gras
** 1 sachet de sucre = 5 g de sucre

Référence:
Tim Hortons (www.timhortons.com/fr/menu/menu_info.html).

] La mention « MULTIGRAIN » est gage de santé.

La mention « multigrain » inscrite sur l'emballage des produits (ex. : pâtes, pains, craquelins, céréales) veut tout simplement dire que le produit contient plusieurs sortes de grains (ex. : blé, avoine, seigle, soya). Pour qu'un aliment soit riche en fibres, les grains doivent être entiers. Or, un pain fait de 14 céréales représentera un choix santé seulement si les grains sont entiers !

★ ★ ★

] Le PAIN et les PÂTES font grossir.

Quel mythe tenace ! Malgré le nombre considérable de personnes et de régimes qui condamnent ces deux « P », ces aliments ne font pas engraisser. D'ailleurs, aucun aliment n'a le pouvoir, à lui seul, de faire engraisser !

Saviez-vous qu'une tranche de pain de blé entier contient moins de calories qu'une poire, et que les pâtes se comparent à du yogourt aux fruits faible en gras ?

MON CONSEIL | Si vous surveillez votre poids, nul besoin d'éliminer le pain et les pâtes de votre alimentation. Prêtez plutôt attention à la portion consommée et aux garnitures souvent grasses et beaucoup trop généreuses qui accompagnent ces aliments (ex. : beurre, sauce à la crème).

ALIMENT	ÉNERGIE (calories)
Pain de blé entier - 1 tranche	86
Poire fraîche - 1 moyenne	96
Spaghettis de blé entier, cuits - 250 ml (1 t)	183
Yogourt aux fruits, 1-2 % - 175 ml (3/4 t)	177

Référence:
Fichier canadien sur les éléments nutritifs - Santé Canada, version 2007b.

] **Les PAINS SANS GRAS NI SUCRE AJOUTÉS sont meilleurs pour la santé.**

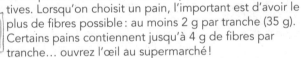

Quel coup de théâtre de la part de l'industrie alimentaire que ces pains sans gras ni sucre ajoutés ! Les différences entre ces pains et les pains traditionnels ne sont pas du tout significatives. Lorsqu'on choisit un pain, l'important est d'avoir le plus de fibres possible : au moins 2 g par tranche (35 g). Certains pains contiennent jusqu'à 4 g de fibres par tranche... ouvrez l'œil au supermarché !

MON CONSEIL | Pour réduire de façon efficace votre consommation de sucre et de gras, diminuez les biscuits et les pâtisseries, le sucre, la grosseur des portions, les aliments frits et panés, etc.

] **Les PRODUITS CÉRÉALIERS ne sont pas essentiels.**

Les recommandations en matière de saine alimentation suggèrent aux adultes de consommer, chaque jour, de 6 à 8 portions de produits céréaliers (ex. : pains, pâtes, céréales), dont la moitié sous forme de grains entiers (voir annexe Guide alimentaire canadien). Un régime riche en fibres aide à diminuer le taux de cholestérol sanguin et à maîtriser la glycémie, réduisant alors le risque de maladies du cœur. De plus, les fibres sont indispensables à un bon transit intestinal et contribuent à la satiété, pour une meilleure gestion du poids. Finalement, ce groupe alimentaire est riche en vitamines du complexe B, nécessaires pour transformer les aliments en énergie et pour la formation des tissus (ex. : peau).

CONCLUSION | Chaque jour, donnez la plus grande part de votre assiette aux fruits et légumes, suivis des produits céréaliers, de préférence à grains entiers. Les glucides contenus dans ces aliments représentent la source d'énergie préférée des cellules de notre corps.

LE SAVIEZ-VOUS ?

Selon les résultats de la Nurses Health Study portant sur la santé de près de 75 000 infirmières de 38 à 63 ans, les femmes qui consomment davantage de fibres ont un risque d'obésité deux fois moins élevé (49 %) par rapport à celles qui consomment moins de fibres[2].

] Les PÂTES AUX LÉGUMES sont plus nutritives que les pâtes blanches.

Les légumes ajoutés à ces pâtes se trouvent sous forme de poudre (ex. : poudre de tomate, poudre d'épinards). Or, la quantité ajoutée est si minime qu'elle n'affecte pas leur valeur nutritive. Et, aussi drôle que cela puisse paraî-tre, les pâtes aux légumes contiennent parfois moins de fibres que les pâtes blanches !

CONCLUSION | Ne choisissez pas des pâtes aux légumes pour leur valeur nutritive, mais plutôt pour leur goût et pour embellir vos assiettes !

★ ★ ★

] Le RIZ basmati blanc est aussi bon pour la santé que le riz brun.

Malgré qu'il soit parfumé, le riz basmati n'est pas plus nutritif que le riz blanc à grains longs ordinaire… à moins d'acheter du riz basmati brun ! Plus complet, le riz basmati brun contient davantage d'éléments nutritifs.

LE SAVIEZ-VOUS ?

Le nom « basmati » vient de l'hindi et signifie « reine du parfum ». Pas surprenant que ce riz soit indispensable à la cuisine indienne !

Références

1 Guide alimentaire canadien :
www.santecanada.gc.ca/guidealimentaire

2 LIU (S.), WILLETT (W. C.), MANSON (J. E.) et al. « Relation
between changes in intakes of dietary fibre and grain products
and changes in weight and development of obesity among
middle-aged women », *American Journal of Clinical Nutrition*,
2003; 78 : 920-927.

LAIT ET SUBSTITUTS

- L'ALLERGIE au lait est fréquente.

- La BOISSON DE SOYA est équivalente au lait de vache.

- Le BRIE est plus gras que le cheddar.

- Le CALCIUM DES VÉGÉTAUX vaut celui des produits laitiers.

- C'est facile de combler ses besoins en CALCIUM sans les produits laitiers.

- Le FROMAGE constipe.

- En général, plus un FROMAGE est ferme au toucher, plus il est riche en calcium.

- Manger du FROMAGE à la fin d'un repas aide à prévenir la carie.

- Le LAIT est bourré d'hormones et d'antibiotiques.

- Le LAIT BIOLOGIQUE est meilleur pour la santé.

- Le LAIT CHOCOLATÉ n'est pas un choix santé.

- Le LAIT ÉCRÉMÉ est moins nutritif que le lait entier.

- Le LAIT n'est bon que pour les enfants.

la suite

- Boire du lait juste avant de dormir facilite le SOMMEIL.

- « SUBSTANCES LAITIÈRES » est une appellation contrôlée.

- On retrouve de la VITAMINE D
  dans tous les produits laitiers.

- Chaque petit format de YOGOURT individuel équivaut
  à une portion de lait et substituts.

] L'ALLERGIE au lait est fréquente.

Selon Santé Canada[1], seulement de 2 à 4 % des nourrissons sont allergiques au lait. Dans la plupart des cas, cette allergie disparaît lorsque le système immunitaire atteint sa maturité, souvent avant l'âge de trois ans. Or, l'allergie au lait n'est pas fréquente. Contrairement à une intolérance au lactose qui correspond à une incapacité du corps à digérer le lactose (sucre naturel du lait), l'allergie au lait découle d'une hypersensibilité du système immunitaire aux protéines contenues dans le lait de vache. Les symptômes d'une allergie peuvent apparaître de quelques minutes à quelques heures après avoir ingéré du lait ou un produit laitier, et peuvent varier de légers à graves (ex.: enflures au niveau du visage, urticaire, diarrhée, difficultés à respirer). Parmi les stratégies de prévention des allergies, on recommande l'allaitement au sein et l'introduction du lait de vache après l'âge de 12 mois.

LE SAVIEZ-VOUS?

Jusqu'à 25 % des enfants sensibles aux protéines du lait de vache sont également allergiques aux protéines du soya. Le remplacement du lait de vache par une préparation lactée pour nourrisson à base de soya pourrait donc s'avérer inutile[2].

★ ★ ★

] La BOISSON DE SOYA est équivalente au lait de vache.

Naturellement, la boisson de soya ne possède pas du tout le même profil nutritionnel que le lait de vache. Voilà pourquoi la plupart des boissons de soya commerciales sont enrichies de calcium, de vitamine D, de vitamine A, de riboflavine (B2), de vitamine B12 et de zinc afin d'offrir un profil qui s'apparente à celui du lait de vache.

Voici quelques différences entre le lait de vache et la boisson de soya :

1. Les gras. D'origine végétale, la boisson de soya ne contient pas de cholestérol, et ses gras sont principalement de types monoinsaturés et polyinsaturés. Par comparaison, la moitié des matières grasses du lait sont des gras saturés.

2. Le calcium. Une fois enrichie, la boisson de soya offre une teneur en calcium similaire à celle du lait de vache. Toutefois, il semble que les aliments à base de soya contiennent un taux élevé d'acide phytique, lequel nuit à l'absorption des minéraux (ex. : calcium, fer, zinc). Par conséquent, à quantité égale (ex. : 250 ml), le corps absorbe une quantité moindre de calcium lorsque celui-ci provient des boissons de soya plutôt que du lait de vache.

FAIT À NOTER | Il est important de brasser énergiquement les contenants de boissons de soya enrichies avant chaque usage, car le calcium ajouté a tendance à former des dépôts solides au fond des cartons.

3. Le sucre. Parce qu'elles sont souvent aromatisées (ex. : vanille, chocolat, fraises), les boissons de soya contiennent généralement plus de sucre que le lait de vache nature. Pour des choix moins sucrés, on privilégie les boissons non aromatisées ou non sucrées.

Conclusion | Si vous ne buvez pas de lait, n'hésitez pas à boire des boissons de soya enrichies. Ces dernières représentent de meilleures alternatives au lait, en comparaison des boissons de riz et d'amandes, par exemple, qui sont pauvres en protéines.

LE SAVIEZ-VOUS ?

La boisson de soya est obtenue à partir de fèves de soya bouillies puis broyées, dont on extrait un liquide ayant l'apparence du lait. Attention : l'appellation « lait » de soya est erronée puisque le terme « lait » désigne ce qui provient des glandes mammaires.

] **Le BRIE est plus gras le cheddar.**

Surprenant, n'est-ce pas? Même si les fromages à pâte molle comme le brie et le camembert affichent un air plus « cochon », ils ne sont pas forcément plus gras que les autres fromages. Leur texture onctueuse s'explique plutôt par un pourcentage plus élevé en humidité. Or, le brie contient en moyenne 14 g de gras par portion de 50 g, comparativement à 16,5 g et 16 g, respectivement, pour le cheddar et le gruyère. Attention toutefois aux fromages double et triple crème, qui contiennent parfois beaucoup plus de gras. Mais quelle jouissance gustative!

MA PHILOSOPHIE | Un peu de tout avec modération.

PAR PORTION DE 50 g	TENEUR MOYENNE EN LIPIDES (g)
Cheddar	**16,5**
Gruyère	**16**
Suisse (emmental)	**14**
Gouda	**14**
Brie	**14**
Parmesan	**13**
Mozzarella	**12**
Camembert	**12**
Chèvre, mou	**11**
Féta	**11**

Référence:
Fichier canadien sur les éléments nutritifs - Santé Canada, version 2007b.

LE SAVIEZ-VOUS?

Une portion de 50 g de fromage correspond à la grosseur d'environ deux gommes à effacer.

] Le **CALCIUM DES VÉGÉTAUX** vaut celui
des produits laitiers.

Les végétaux tels que le brocoli, les amandes et les épinards contiennent certes du calcium, mais en quantité souvent inférieure à celle des produits laitiers. Et surtout, ce calcium est moins bien absorbé et utilisé par le corps (c'est ce que l'on appelle la biodisponibilité). Cela dit, 250 ml (1 t) de lait contiennent en moyenne 307 mg de calcium. Comme son absorption est estimée à 32 %, 98 mg de calcium sont absorbés pour chaque verre de lait. Prenez maintenant l'exemple des épinards. Une fois cuits, chaque portion de 125 ml (½ t) offre 129 mg de calcium. Cependant, l'absorption est de 5 %, ce qui permet à notre corps d'assimiler seulement 7 mg. En d'autres mots, il faudrait consommer 3,5 litres (14 t) d'épinards cuits pour égaler une seule portion de lait ! De plus, les aliments d'origine végétale contiennent parfois des oxalates (ex. : épinards, rhubarbe) et des phytates (contenus dans le son des céréales) qui se lient au calcium et nuisent à son absorption.

ALIMENT	TENEUR EN CALCIUM (mg)	POURCENTAGE ABSORBÉ (%)	CALCIUM ABSORBÉ (mg)
Lait 1 % - 250 ml (1 t)	307	32	98
Boisson de soya, enrichie* - 250 ml (1 t)	319	24	77
Tofu, préparé avec du sulfate de calcium - 100 g	231	31	72
Épinards, cuits - 125 ml (1/2 t)	129	5	7
Amandes - 60 ml (1/4 t)	93	21	20
Bok choy, cuit - 125 ml (1/2 t)	84	54	45
Chou frisé, cuit - 125 ml (1/2 t)	47	59	28
Rutabaga, cuit - 175 ml (3/4 t)	43	61	26
Haricots rouges, bouillis - 175 ml (3/4 t)	37	17	6
Brocoli, cuit - 125 ml (1/2 t)	33	53	18
Choux de Bruxelles, bouillis - 125 ml (1/2 t)	30	64	19
Graines de sésame, grillées, décortiquées - 30 ml (2 c. à soupe)	22	21	5

* Enrichie avec du phosphate tricalcique.
... Références:
WEAVER et PLAWECKI. *Food source of bioavailable calcium*, 1994
et Fichier canadien sur les éléments nutritifs – Santé canada, version 2007b.

] **C'est facile de combler ses besoins en CALCIUM sans les produits laitiers.**

En règle générale, les produits laitiers sont d'excellentes sources de calcium et offrent une bonne biodisponibilité (voir mythe précédent). Par conséquent, si on bannit les produits laitiers de son alimentation, il faudra manger un plus grand nombre d'aliments différents pour arriver à combler ses besoins quotidiens.

CONCLUSION | Pour combler vos besoins quotidiens en calcium, mangez un peu de tout, en incluant des légumes colorés et des produits laitiers. En plus du calcium, ces derniers fournissent plusieurs éléments nutritifs (ex. : vitamines du groupe B, protéines), essentiels au maintien d'une bonne santé en général ! Si vous ne consommez pas de produits laitiers, prenez le temps de bien vous renseigner sur la teneur en calcium d'autres aliments. Au besoin, consultez une nutritionniste.

LE SAVIEZ-VOUS ?

Pour être riche en calcium, le saumon en conserve doit être consommé avec ses arêtes.

★ ★ ★

] **Le FROMAGE constipe.**

Voilà un mythe très répandu, et certains n'en démordent pas ! Pourtant, les facteurs pour expliquer un problème de constipation résultent plus vraisemblablement d'une faible consommation en fibres alimentaires (ex. : pains et céréales de grains entiers, fruits, légumes, légumineuses), d'une hydratation insuffisante, d'un manque d'activité physique ou du stress. Ainsi, le fromage n'a pas le pouvoir de constiper ! Si vous souffrez de constipation chronique, vous devriez en discuter avec votre médecin.

] **En général, plus un FROMAGE est ferme au toucher, plus il est riche en calcium.**

RÉALITÉ

Le parmesan, le gruyère et le suisse sont trois bons exemples de fromages fermes au toucher et qui sont particulièrement riches en calcium. À l'opposé, le brie, le fromage de chèvre et le fromage à la crème contiennent moins de calcium. Cependant, il est à noter que la ricotta offre une teneur élevée en calcium malgré sa texture plus crémeuse.

FROMAGE	PORTION	TENEUR MOYENNE EN CALCIUM (mg)
Parmesan	50 g	592
Gruyère	50 g	506
Suisse (emmental)	50 g	396
Cheddar	50 g	360
Ricotta. partiellement écrémée	125 ml (1/2 t)	356
Gouda	50 g	350
Mozzarella	50 g	288
Féta	50 g	246
Camembert	50 g	194
Cottage à 2 %	250 ml (1 t)	164
Brie	50 g	92
Chèvre, mou	50 g	70
À la crème	30 ml (2 c. à soupe)	24

Besoins quotidiens en calcium :

Enfants (de 4 à 8 ans) :	800 mg
Adolescents (de 9 à 18 ans) :	1300 mg
Adultes (de 19 à 50 ans) :	1000 mg
Adultes (50 ans et plus) :	1200 mg
Femmes enceintes ou qui allaitent :	1000 mg

Le calcium favorise la formation et le maintien d'os solides et de dents saines, en plus d'être indispensable à la coagulation du sang et à la contraction des muscles, dont le cœur.

] **Manger du FROMAGE à la fin d'un repas aide à prévenir la carie.**

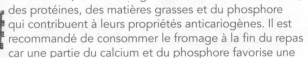

Les fromages tels que le cheddar, le suisse, le bleu, le Monterey Jack, la mozzarella, le brie et le gouda contiennent du calcium, des protéines, des matières grasses et du phosphore qui contribuent à leurs propriétés anticariogènes. Il est recommandé de consommer le fromage à la fin du repas car une partie du calcium et du phosphore favorise une minéralisation de l'émail des dents, tandis que les protéines et les matières grasses neutralisent l'acidité des aliments sucrés qui causent la carie.

CONCLUSION | Si vous n'avez pas à portée de main une brosse à dents après avoir mangé une collation sucrée ou un repas, croquez dans un morceau de fromage!

LE SAVIEZ-VOUS?

Il faut environ 10 litres de lait pour fabriquer 1 kg de fromage. C'est dire à quel point il est riche en éléments nutritifs nécessaires à une bonne santé : calcium, protéines, vitamine A, riboflavine (B2), niacine (B3), zinc... alouette!

] **Le LAIT est bourré d'hormones et d'antibiotiques.**

Voilà une croyance très populaire! Et pourtant, aucune vache au Canada ne peut recevoir d'hormones de croissance ou de lactation pour augmenter sa production laitière. Par contre, ces hormones sont légales aux États-Unis, ce qui explique fort probablement les craintes véhiculées au Canada à cet égard.

En ce qui concerne les antibiotiques, les fermiers de lait biologique et de lait ordinaire peuvent les utiliser pour traiter une vache malade, tout comme un médecin les prescrit quand on est malade! La quantité d'antibiotiques est alors déterminée par un vétérinaire. Selon la loi, le lait de ces vaches doit être jeté pendant quelques jours afin de respecter la période de retrait pour chaque médicament. Ainsi, le lait commercialisé au Canada ne contient pas d'antibiotiques. D'ailleurs, le lait est l'un des aliments les plus vérifiés. Il est testé à la ferme sur une base sélective, puis analysé systématiquement avant le déchargement à l'usine afin de détecter la présence d'antibiotiques.

CONCLUSION I Ne vous privez surtout pas de boire du lait. Il est sécuritaire et nutritif.

LE SAVIEZ-VOUS?

La vitamine A ajoutée au lait est synthétique alors que la vitamine D est dérivée de la lanoline, extraite de la laine du mouton. Au Canada, ces vitamines sont automatiquement ajoutées au lait en vertu d'une loi fédérale.

] Le LAIT BIOLOGIQUE est meilleur pour la santé.

Jusqu'à présent, les études n'ont pas démontré que le lait bio est supérieur au lait de vache sur le plan des nutriments. Or, les deux laits offrent une valeur nutritive équivalente. Cependant, nul doute que le lait bio est plus intéressant d'un point de vue environnemental puisque sa production répond à des normes strictes: pas de pesticides, de fongicides ni d'engrais. Cela dit, les deux laits doivent respecter les mêmes normes rigoureuses du gouvernement en ce qui a trait à la salubrité et à la sécurité alimentaire. Finalement, aucun lait blanc vendu au Canada ne contient de produits chimiques ou d'agents de conservation.

★ ☆ ★

] Le LAIT CHOCOLATÉ n'est pas un choix santé.

Saviez-vous qu'à portions égales le lait chocolaté ne contient pas plus de sucre qu'un verre de jus de pomme? Or, parce qu'il est aromatisé, le lait chocolaté contient plus de sucre et de calories que sa version nature. Mais contrairement aux idées reçues, le lait chocolaté est un aliment très nutritif. Il contient les mêmes 15 éléments nutritifs essentiels que le lait nature tels que du calcium, du phosphore, du magnésium, des vitamines A et D, ainsi que des protéines.

PAR PORTION DE 250 ml (1 t)	LAIT NATURE 1%	LAIT CHOCOLATÉ 1%	JUS DE POMME
Énergie (calories)	108	166	119
Protéines (g)	8,7	8,6	0
Lipides (g)	2,5	2,6	0
Glucides (g)	13	28	29,5
Vitamine A (µg)	150	153	0

Vitamine D (µg)	2,6	2,6	0
Calcium (mg)	307	304	18
Phosphore (mg)	245	272	18

Référence:
Fichier canadien sur les éléments nutritifs - Santé Canada, version 2007b.

LE SAVIEZ-VOUS ?

Après une activité physique, le lait chocolaté aiderait le corps à refaire le plein d'énergie, et pourrait en plus contribuer au développement et à la régénération des muscles grâce à son contenu en protéines et en glucides.

★ ✖ ➤

] Le LAIT ÉCRÉMÉ est moins nutritif que le lait entier.

 Qu'il soit écrémé ou entier, sans lactose, au chocolat ou en poudre, le lait fournit essentiellement la même quantité de vitamines et de minéraux. C'est plutôt la teneur en matières grasses et en calories qui varie. À vous de choisir !

LE SAVIEZ-VOUS ?

Il n'est pas recommandé de donner du lait écrémé (0,1 %) ou partiellement écrémé (1 % et 2 %) aux enfants de moins de 2 ans. En effet, les lipides fournissent des acides gras indispensables au développement du cerveau, à la vision et à une croissance et à un métabolisme normaux. Or, pendant toute la petite enfance, le lait 2 % ou 3,25 % convient parfaitement aux besoins des enfants. Si l'enfant ne souffre pas de surpoids, d'obésité ou d'une autre condition associée à la malabsorption des gras, il est même conseillé de maintenir le lait entier jusqu'à l'âge de 5 ans.

] **Le LAIT n'est bon que pour les enfants.**

Saviez-vous que de 20 ans à 50 ans, la masse osseuse diminue progressivement et enregistre une perte de 0,5 % à 1,5 % chaque année[3] ? Cette perte est particulièrement importante au cours des cinq premières années suivant le début de la ménopause, et peut atteindre près de 15 % durant cette période[4]. Voilà pourquoi il est si important de faire le plein de calcium durant l'enfance et l'adolescence, puis de maintenir une bonne consommation à l'âge adulte. Boire du lait représente la façon la plus rapide et la plus efficace d'absorber du calcium. Pourquoi ? Parce que le lait est une excellente source de calcium et qu'il contient de la vitamine D, élément clef pour aider le calcium à se fixer sur les os.

CONCLUSION | Une bonne stratégie pour maintenir les os et les dents en santé consiste à boire du lait et à manger des produits laitiers sur une base quotidienne et pour la vie !

LE SAVIEZ-VOUS ?

Si vous souffrez d'une carence en calcium, votre corps puisera à même ses réserves osseuses, ce qui augmentera ainsi les risques d'ostéoporose. Au Canada, plus de 1,4 million de personnes sont atteintes de cette maladie. Après 50 ans, une femme sur quatre et un homme sur huit souffrent d'ostéoporose[5]. Voyez à votre santé osseuse dès maintenant !

★ ★ ★

] **Boire du lait juste avant de dormir facilite le SOMMEIL.**

Même si le lait contient du tryptophane, un acide aminé essentiel pouvant être converti par l'organisme en sérotonine, une molécule intervenant dans la régulation du sommeil, aucune explication scientifique n'a à ce jour démontré que boire du lait aide à dormir comme un bébé !

La raison ? Le tryptophane est présent en trop faible quantité dans le lait, sans compter qu'il entre en compétition avec les autres composantes du lait. Résultat : le tryptophane n'arrive pas à voyager jusqu'au cerveau en assez grande quantité pour être converti en sérotonine.

CONCLUSION | Boire une tasse de lait chaud, aromatisé d'un peu de cannelle, de vanille ou de miel, savouré dans une ambiance calme, est certainement une excellente façon de se relaxer et de se préparer à une bonne nuit, d'autant plus que la routine favorise le sommeil.

★ ★ ★

] « SUBSTANCES LAITIÈRES » est une appellation contrôlée.

L'expression « substances laitières » vise à simplifier la liste d'ingrédients laitiers et peut alors regrouper des ingrédients ou des aliments tout à fait naturels comme du lait écrémé. En vertu de la Loi sur les aliments et drogues, l'expression « substances laitières » englobe toute forme liquide, concentrée, séchée, congelée ou reconstituée des produits suivants : beurre, babeurre, huile de beurre, matière grasse de lait, crème, lait, lait partiellement écrémé, lait écrémé et tout autre constituant du lait dont la composition chimique n'a pas été modifiée et dont l'état chimique est le même que dans le lait d'origine.

Il existe aussi l'appellation « substances laitières modifiées ». Malgré le mot « modifiées », il importe de préciser que cette terminologie n'a aucun lien avec les organismes génétiquement modifiés (OGM). Malheureusement, l'expression « substances laitières modifiées » porte à confusion et c'est pourquoi, depuis plusieurs années, l'industrie du lait demande à Santé Canada de la remplacer pour éviter tout malentendu. Or, selon cet organisme gouvernemental, cette expression fait référence à toute forme liquide, concentrée, séchée, congelée ou reconstituée des produits suivants : lait écrémé à teneur réduite en

calcium, caséine, caséinates, produits laitiers de culture, protéines lactosériques, lait ultra-filtré, lactosérum (petit-lait) et tout autre constituant du lait dont l'état chimique a été modifié de façon à différer de celui dans lequel il se retrouve dans le lait d'origine. En Europe, on désigne ces substances comme des « constituants naturels du lait »… Beaucoup plus sympathique comme terminologie !

Selon le chercheur Daniel St-Gelais, du Centre de recherche et de développement sur les aliments (CRDA) d'Agriculture et Agroalimentaire Canada, il n'y a pas lieu de s'inquiéter de la présence de substances laitières ou de substances laitières modifiées dans les aliments : « La technologie actuelle nous permet de séparer mécaniquement plusieurs constituants du lait, de façon tout à fait naturelle et sans ajout de produits chimiques. L'utilisation de ces substances permet notamment d'uniformiser la productivité et la qualité des fromages tout au long de l'année sans en modifier le goût. »

CONCLUSION | Nul besoin de fuir les « substances laitières », modifiées ou non, car, après tout, ces ingrédients tirent tous leur origine du lait ! L'ennui repose plutôt sur l'absence d'information relative à la nature de ces ingrédients et à leur proportion dans les aliments.

★ ★ ★

] **On retrouve de la VITAMINE D dans tous les produits laitiers.**

La vitamine D est une denrée rare. L'exposition aux rayons UVB du soleil est une source de vitamine D, malheureusement peu efficace pendant les longs mois d'hiver ! Les jaunes d'œufs

et les poissons gras (ex. : maquereau, saumon, thon, sardines) en contiennent. Elle est aussi ajoutée au lait, afin de maximiser l'absorption du calcium. Par contre, les fromages sont dépourvus de vitamine D tout comme la très grande majorité des yogourts. Cependant, il est à noter que certains yogourts commerciaux sont préparés avec du lait enrichi de vitamine D.

★ ★ ★

] Chaque petit format de YOGOURT individuel équivaut à une portion de lait et substituts.

La très grande majorité des contenants de yogourts individuels sont d'un format de 100 g, ce qui ne correspond malheureusement pas à une portion de lait et substituts selon le Guide alimentaire canadien[7] (voir annexe Guide alimentaire canadien). Or, une portion de yogourt correspond plutôt à 175 g (ou 175 ml / ¾ t). Pour combler une portion, il faudrait alors consommer deux de ces petits contenants !

Références

1 Santé Canada : www.hc-sc.gc.ca

2 *Ibid.*

3 Jasminka (Z. Ilich) et KERSTETTER (J.). *Nutrition in Bone Health Revisited : A Story Beyond Calcium.* J. Am Coll Nutr 2000.19 (6) : 715-737.

4 DUBOST (Mireille). *La nutrition.* 3ᵉ édition. Éditions de la Chenelière, 2006.

5 Ostéoporose Canada : www.osteoporosecanada.ca

6 Guide alimentaire canadien : www.santecanada.gc.ca/guidealimentaire

7 *Ibid.*

VIANDES ET SUBSTITUTS

- Les ABATS sont riches en cholestérol.

- On vend du BŒUF génétiquement modifié dans les épiceries.

- La GRAINE DE LIN doit être moulue avant d'être consommée.

- Les HUÎTRES sont aphrodisiaques.

- Les NOIX sont caloriques.

- Lorsqu'on a un taux èlevé de cholestérol, on doit éviter de manger des ŒUFS.

- On peut manger un ŒUF chaque jour sans affecter son cholestérol sanguin.

- Les ŒUFS de poules en liberté sont plus nutritifs que ceux des poules en cage.

- Les ŒUFS bruns sont plus nutritifs.

- Il ne faut jamais manger d'ŒUFS crus.

- Avaler un POIS SEC chaque jour diminue le cholestérol.

- Avec le POISSON, on ne boit que du vin blanc.

- Plus un POISSON est gras, meilleur il est pour la santé.

- Le POULET est élevé aux hormones.

la suite

- Le POULET « de grain » est meilleur pour la santé.

- Le SOYA aide à diminuer les bouffées de chaleur
  à la ménopause.

- Le THON contient du mercure.

- Le TOFU est un bon substitut de la viande.

- Manger de la VIANDE ROUGE est mauvais pour la santé.

- Plus une VIANDE est rouge, plus elle est riche en fer.

] Les ABATS sont riches en cholestérol.

À titre d'exemple, 100 g de foie de veau contiennent autant de cholestérol que deux œufs alors que la même portion de cervelle de veau braisée contient l'équivalent de 14 œufs! Malgré leur richesse en cholestérol, les abats sont une source très intéressante de protéines, de fer, de zinc et de vitamines du complexe B (surtout B12). De son côté, le foie est pauvre en matières grasses et riche en vitamine A, ce qui en fait un aliment très complet.

CONCLUSION | Les abats sont très nutritifs, ne vous privez donc pas d'en manger. Cependant, si votre taux de cholestérol est élevé, parlez-en avec votre médecin ou votre nutritionniste.

ALIMENT	TENEUR EN CHOLESTÉROL (mg)
Cervelle de veau, braisée - 100 g	3100
Rognons de veau, braisés - 100 g	791
Foie de veau, sauté - 100 g	485
Œuf, à la coque - 1 gros	216

Référence:
Fichier canadien sur les éléments nutritifs - Santé Canada, version 2007b.

LE SAVIEZ-VOUS?

Le corps humain a besoin de cholestérol pour fonctionner normalement. Ce type de gras est indispensable à la production de certaines hormones sexuelles, intervient dans la synthèse de la vitamine D et favorise l'absorption des matières grasses. Par contre, une quantité trop élevée de cholestérol dans le sang peut augmenter les risques de maladies du cœur.

] On vend du BŒUF génétiquement modifié dans les épiceries.

Selon le site du gouvernement du Québec[1], des travaux de recherche sont présentement en cours au Canada, mais aucun animal génétiquement modifié (GM) n'est approuvé à des fins de commercialisation. La plupart des animaux transgéniques sont utilisés en laboratoire comme modèles pour l'étude de maladies. Par exemple, on travaille sur une vache GM afin qu'elle produise moins de lactose pour les gens souffrant d'une intolérance. Pour combler la pénurie de tissus humains, les médecins transplantent parfois des organes ou des tissus d'animaux sur les humains. En revanche, on effectue beaucoup de recherche sur les tissus et les organes d'animaux GM pour augmenter le succès lors des transplantations d'organes. À titre d'exemple, des transplantations de valves de cœurs de porc sont maintenant réalisées avec succès.

CONCLUSION | On ne vend pas, à l'heure actuelle au Canada, d'animaux génétiquement modifiés (GM) pour la consommation humaine.

LE SAVIEZ-VOUS ?

Partout dans le monde, on compte aujourd'hui un peu plus d'une cinquantaine de types d'animaux GM, mais non approuvés à des fins de consommation humaine. Cependant, les poissons pourraient devenir les premiers animaux GM approuvés à se retrouver dans nos supermarchés (ex. : saumon de l'Atlantique à croissance accélérée).

] La GRAINE DE LIN doit être moulue avant d'être consommée.

Entière, la graine de lin passe tout droit ! Voilà pourquoi elle doit être moulue afin que l'on puisse l'assimiler et bénéficier de ses éléments nutritifs (ex. : oméga-3). La graine de lin se vend déjà moulue, mais il est préférable de la moudre soi-même, afin de maximiser ses propriétés. Le moulin à café ou à épices est parfait pour cet usage. Une fois moulue, elle se conserve environ un mois dans un contenant opaque et hermétique, placé au frigo ou au congélateur. Notons que les études effectuées par la Commission canadienne des grains[2] démontrent que les graines de lin moulues restent stables lors de la cuisson. Une seule cuillère à soupe (15 ml) de graines de lin moulues comble 100 % des besoins quotidiens en oméga-3 d'origine végétale (acide alpha-linolénique). Les oméga-3 végétaux sont également présents dans le soya (tofu, fèves grillées), les noix de Grenoble et les huiles (canola, germe de blé, soya, noix).

CONCLUSION I Une fois moulue, la graine de lin s'intègre un peu partout : muffins, pains aux bananes, céréales à déjeuner, smoothies, yogourts, compotes de fruits, salades... alouette !

LE SAVIEZ-VOUS ?

Contrairement à la croyance populaire, ce ne sont pas les oméga-3 de la graine de lin qui peuvent réduire le cholestérol, mais plutôt ses fibres solubles.

] Les HUÎTRES sont aphrodisiaques.

Malgré l'absence d'études scientifiques, certains écrits nous laissent croire que l'huître crue pourrait agir comme stimulant sexuel. Selon la légende, le pouvoir aphrodisiaque de l'huître remonte à la civilisation grecque, lorsque Aphrodite, la déesse de l'amour, jaillit de l'océan à dos d'huître et donna naissance à Éros. On raconte aussi que Casanova, cet irrésistible séducteur, commençait son repas du soir en dévorant des douzaines d'huîtres! Les aliments du désir ont également été prisés pour leurs formes rappelant celles des organes génitaux : la banane, les asperges, le concombre, le céleri et, bien sûr, les huîtres!

La réputation du pouvoir aphrodisiaque des huîtres crues vient aussi de leur richesse en zinc, indispensable à la synthèse de l'hormone mâle : la testostérone. « Cette hormone est responsable du désir chez l'homme et chez la femme, même si elle y est présente en petite quantité. De là à affirmer que consommer des huîtres augmente la libido, je ne saurais me prononcer », souligne la sexologue Nicole Audette[3].

Selon Pêches et Océan Canada[4], l'huître contient de la dopamine, un neurotransmetteur qui régit l'activité cérébrale et influe sur le désir sexuel, tant chez l'homme que chez la femme. « Même si la dopamine est considérée comme la substance du bonheur ou du plaisir, il n'est pas dit qu'elle augmente automatiquement la libido », précise la sexologue.

Or, aphrodisiaque ou non, manger des huîtres est excellent pour la santé. C'est un aliment à la fois nourrissant et faible en calories, qui apporte des acides gras oméga-3 et plusieurs minéraux comme du zinc, du cuivre, du fer et de la vitamine B12.

CONCLUSION | Une lumière tamisée, un peu de musique, quelques chandelles… Avant tout, je crois que c'est l'ambiance romantique dans laquelle les huîtres sont consommées qui les rend si « stimulantes ».

★ ★ ★

] **Les NOIX sont caloriques.**

Les noix contiennent effectivement une bonne quantité de matières grasses, donc de calories. Cependant, elles sont excellentes pour la santé : pacanes, noix de Grenoble, noisettes, pistaches, amandes, etc. Les noix sont dépourvues de cholestérol et de gras trans, et plusieurs sont faibles en gras saturés. Ce sont majoritairement de bons gras qui composent les noix, c'est-à-dire des gras monoinsaturés, suivis des gras polyinsaturés, reconnus pour favoriser une bonne santé cardiovasculaire. Les noix sont aussi bourrées de vitamine E, de magnésium, de cuivre, de zinc et de fibres, en plus de contenir des protéines.

CONCLUSION | Les noix sont très nutritives et apportent une valeur ajoutée à notre alimentation. Mais comme elles sont caloriques, consommez-les avec modération. Selon le Guide alimentaire canadien[5], une portion de substitut à la viande correspond à 60 ml (¼ t) de noix, soit environ ce qui entre dans le creux de votre main.

] **Lorsqu'on a un taux élevé de cholestérol, on doit éviter de manger des ŒUFS.**

Même si le jaune d'œuf contient du cholestérol, nul besoin de supprimer les œufs de son alimentation malgré un taux élevé de cholestérol sanguin. Il est plus efficace d'agir sur la qualité des matières grasses consommées plutôt que sur l'apport même de cholestérol alimentaire. Ainsi, il est recommandé d'éviter les gras trans et de limiter le plus possible les gras saturés. À l'inverse, il vaut mieux privilégier les bonnes matières dites « insaturées », présentes dans les huiles végétales, les noix, l'avocat, les poissons, etc. De plus, il est suggéré d'augmenter l'apport en fibres solubles (ex. : graines de lin, avoine, orge, psyllium, légumineuses) et de perdre du poids s'il y a un surplus.

CONCLUSION | Les personnes ayant un taux de cholestérol élevé peuvent généralement consommer 2 ou 3 œufs par semaine. Il est à noter que certaines personnes souffrant d'hypercholestérolémie sont plus sensibles que d'autres au cholestérol alimentaire. Par conséquent, ces personnes doivent limiter davantage leur consommation de cholestérol alimentaire. Pour savoir si vous y êtes sensible, parlez à votre médecin ou à votre nutritionniste.

PRINCIPAUX TYPES DE LIPIDES ALIMENTAIRES

Exemples de bons gras

Gras monoinsaturés	Huile d'olive, huile de canola, huile de tournesol, avocats, arachides et certaines noix (ex. : noisettes, pacanes, amandes).
Gras polyinsaturés	Huiles végétales (ex. : soya, maïs, tournesol, canola), poissons gras et leurs huiles (ex. : saumon, maquereau, hareng, truite), graines de lin, germe de blé, noix de Grenoble.

Exemples de mauvais gras

Gras saturés	Produits laitiers gras (ex.: beurre, fromage, crème), viandes grasses, saucisses, bacon, charcuteries, pâtisseries, saindoux, huiles de coco, de palme et de palmiste.
Gras trans	Plats préparés, biscuits, gâteaux, viennoiseries, pâte à tarte, craquelins, muffins commerciaux, margarines hydrogénées, shortening.

LE SAVIEZ-VOUS?

Les gras trans sont doublement néfastes pour la santé du cœur: ils augmentent le taux de « mauvais » cholestérol (LDL-cholestérol) en plus de diminuer le « bon » cholestérol (HDL-cholestérol). De son côté, la consommation de gras saturés augmente à fois le « mauvais » et le « bon » cholestérol, ce qui demeure indésirable pour la santé.

★ ★ ★

] **On peut manger un ŒUF chaque jour sans affecter notre cholestérol sanguin.**

Selon les récentes recherches scientifiques, la consommation d'un œuf par jour n'augmenterait pas le taux de cholestérol sanguin et n'aurait pas d'effet sur le risque de maladies cardiovasculaires chez la plupart des gens. Cela dit, ce n'est pas une raison pour manger des œufs tous les jours: la variété demeure toujours la clef d'une saine alimentation!

CONCLUSION | J'craque encore pour toi, mon coco!

] Les ŒUFS de poules en liberté sont plus nutritifs que ceux des poules en cage.

Selon la Fédération des producteurs d'œufs de consommation du Québec6, la valeur nutritive des œufs produits par des poules en liberté est la même que celle de l'œuf classique, produit par des poules en cage.

VALEUR NUTRITIVE D'UN GROS ŒUF, À LA COQUE (50 g)	
Énergie (calories)	78
Protéines (g)	6
Glucides (g)	0,6
Lipides (g)	5
Cholestérol (mg)	216

Référence:
Fichier canadien sur les éléments nutritifs - Santé Canada, version 2007b.

LE SAVIEZ-VOUS ?

Une poule pond en moyenne 293 œufs par année ! Et toutes les poules pondeuses du Québec produisent des œufs de façon naturelle, c'est-à-dire sans hormones.

] **Les ŒUFS bruns sont plus nutritifs.**

Que l'œuf soit blanc ou brun, sa valeur nutritive est identique. La différence entre les œufs à coquille brune et les œufs à coquille blanche provient tout simplement de la race de poule qui les pond. Au Canada, la race Leghorn blanche est très populaire et pond des œufs blancs, alors que la Rhode Island, une poule rousse, pond des œufs bruns.

LE SAVIEZ-VOUS?

Pour savoir si un œuf est frais, immergez-le dans un verre d'eau : s'il coule au fond, c'est qu'il est encore bon ! Par contre, s'il flotte, l'œuf est périmé.

] **Il ne faut jamais manger D'ŒUFS crus.**

On a longtemps cru qu'il ne fallait pas consommer d'œufs crus étant donné le risque d'intoxication alimentaire. Or, selon la Fédération des producteurs d'œufs de consommation du Québec[7] : « Les programmes sévères de contrôle de qualité et de salubrité alimentaire instaurés au Québec depuis

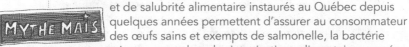

quelques années permettent d'assurer au consommateur des œufs sains et exempts de salmonelle, la bactérie mise en cause lors des intoxications alimentaires causées par les œufs crus. Les œufs du Québec sont donc propres à la consommation à l'état cru. »

Il est toutefois essentiel d'adopter de bonnes pratiques d'hygiène à la maison afin de maintenir la salubrité de l'œuf. Ainsi, il est recommandé de conserver les œufs au froid (4 °C/40 °F ou moins) et de réfrigérer ou de congeler les aliments préparés et les restes de table périssables dans un délai maximal de deux heures. De son côté, comme mesure préventive, les Producteurs d'œufs du Canada[8] recommandent aux très jeunes enfants, aux femmes enceintes et aux personnes âgées de ne pas consommer les œufs crus ou légèrement cuits, étant donné leur système immunitaire plus faible.

★ ★ ★

] **Avaler un POIS SEC chaque jour diminue le cholestérol.**

Malheureusement, un seul petit pois n'a pas ce pouvoir ! En revanche, les légumineuses cuites, telles que les pois secs, contiennent des fibres solubles ayant la capacité de se lier au cholestérol dans l'intestin et d'empêcher son absorption. Manger un plat de légumineuses chaque semaine s'avère une stratégie gagnante pour la santé du cœur puisque ces aliments sont faibles en matières grasses et en calories et riches en fibres et en divers éléments nutritifs (ex. : vitamines du groupe B). En plus, elles sont économiques et versatiles en cuisine (ex. : salades, soupes, sauces). Selon le Guide alimentaire canadien[9], une portion de substituts de la viande correspond à 175 ml (¾ t) de légumineuses.

] Avec le POISSON, on ne boit que du vin blanc.

D'où vient cette croyance? D'abord, il faut savoir que les vins blancs sont généralement plus méconnus que les vins rouges. Deuxièmement, sur le plan visuel, il semble plus logique d'agencer les vins blancs avec une chair blanche, tels la volaille ou le poisson. Voilà ce qui explique pourquoi plusieurs d'entre nous croyons qu'il faut réserver les vins rouges pour la viande rouge!

Désormais, l'accord des vins avec la nourriture repose avant tout sur l'harmonie. Selon la sommelière Jessica Harnois[10] : « Le vin rouge peut très bien se marier avec certains poissons. Tout est une question de texture, d'accompagnements, de saveurs et de tanins. » Par exemple, un poisson à chair blanche peut tout aussi bien aller avec un vin rouge si les épices et la sauce le permettent.

CONCLUSION | Qui se ressemble ne s'assemble pas nécessairement! Désormais, les contraires s'attirent, et les vins rouges peuvent épouser harmonieusement les poissons, même ceux à chair blanche. Tout dépend de l'accompagnement. Il ne faut surtout pas oublier que le mariage des saveurs et des textures est d'abord et avant tout une question de goût personnel.

★ ★ ★

] Plus un POISSON est gras, meilleur il est pour la santé.

La règle est simple : de façon générale, plus un poisson est gras, plus il est riche en oméga-3. Le maquereau, les sardines, le saumon et le hareng figurent parmi les poissons les plus gras, donc parmi les meilleures sources d'oméga-3. Au cours des années 1970, des études ont révélé que les Inuits du Groenland présentaient une incidence beaucoup moins élevée de maladies du cœur que plusieurs autres populations, en raison des poissons qu'ils consommaient.

Depuis, de nombreuses études ont démontré que les oméga-3 peuvent:

- abaisser le taux de triglycérides dans le sang;
- réduire le risque de mort subite d'origine cardiaque;
- diminuer la formation de caillots de sang pouvant bloquer les vaisseaux sanguins;
- diminuer légèrement la tension artérielle, surtout chez les personnes qui souffrent d'hypertension;
- diminuer l'arythmie chez certaines personnes atteintes de maladies cardiaques.

Les poissons enrichissent notre alimentation de précieux minéraux tels que l'iode, le sélénium et le phosphore. En plus de contenir des oméga-3, les poissons gras constituent une source importante de vitamine D. L'American Heart Association[11] et le Guide alimentaire canadien[12] recommandent de consommer au moins deux repas de poisson par semaine, de préférence des poissons gras, en évitant les poissons frits et panés.

ALIMENT	TENEUR EN LIPIDES* PAR 100 (g)	TENEUR EN OMÉGA-3 PAR 100 (g)
Poissons et fruits de mer maigres		
Homard, bouilli	0,6	0,1
Morue, grillée	0,8	0,2
Aiglefin, grillé	0,9	0,3
Crevettes, vapeur	1,1	0,3
Pétoncles, vapeur	1,4	0,4
Sole, grillée	1,5	0,6
Thon en conserve, dans l'eau	1,9	0,6
Tilapia, grillé	2,7	0,3
Flétan, grillé	2,9	0,7
Moules, vapeur	4,5	0,9

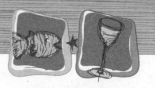

Poissons mi-gras		
Espadon, grillé	5,1	1,1
Saumon en conserve	5,2	1,3
Thon rouge, grillé	6,3	1,7
Truite, grillée (espèces diverses)	8,5	1,4
Anchois en conserve, dans l'huile, égouttés	9,7	2,1
Poissons gras		
Maquereau, grillé	10,1	2,1
Sardines en conserve, dans l'huile, égouttées	11,5	1,5
Saumon d'élevage, grillé	12,4	2,3
Hareng, grillé	14,7	2,3

* D'après l'*Encyclopédie visuelle des aliments*[13], les poissons sont regroupés en trois catégories : les poissons maigres (moins de 5 % de matières grasses), les poissons mi-gras (de 5 % à 10 %) et les poissons gras (plus de 10 %).

Référence :
Fichier canadien sur les éléments nutritifs - Santé Canada, version 2007b.

★ ★ ★

] **Le POULET est élevé aux hormones.**

Quoi qu'on en dise, l'utilisation d'hormones de croissance pour le poulet est interdite au Canada depuis plus de 40 ans ! Selon les Éleveurs de volailles du Québec[14], les poulets croissent aujourd'hui plus rapidement grâce à une sélection naturelle de lignées plus performantes, à l'amélioration de la nutrition animale et à une meilleure prévention des maladies.

Par contre, selon Santé Canada[15], l'utilisation d'agents antimicrobiens (médicaments naturels ou synthétiques tels que les antibiotiques) est permise pour traiter les animaux malades, pour stimuler leur croissance et pour prévenir diverses infections. Sur le site Le poulet du Québec[16], on mentionne que la faible dose d'antibiotiques donnée à titre préventif évite la dose plus forte qu'il faudrait administrer aux animaux en cas de maladie. Sans antibiotiques, le taux de mortalité serait plus grand durant l'élevage, sans compter que de plus fortes doses seraient administrées aux poulets malades. Au Québec, les antibiotiques doivent être prescrits par un vétérinaire et font l'objet d'une réglementation très sévère. Une fois le traitement terminé, les éleveurs doivent respecter une période de retrait pour s'assurer que l'antibiotique a été éliminé par l'oiseau avant sa mise en marché.

L'utilisation des antibiotiques comme stimulateurs de croissance chez les animaux destinés à la consommation fait l'objet d'un débat à l'échelle internationale. Cette pratique inquiète et soulève plusieurs questions, notamment quant à la résistance aux antibiotiques et aux risques potentiels pour la santé. À ce sujet, l'Organisation mondiale de la santé (OMS)[17] a recommandé d'éviter d'utiliser des antibiotiques employés en médecine humaine pour favoriser la croissance des animaux d'élevage. Des stimulateurs de croissance ont été interdits par l'Union européenne en raison de leur similarité structurelle avec les antimicrobiens utilisés en médecine humaine. De son côté, Santé Canada[18] étudie attentivement la question et envisage de prendre des mesures semblables. Histoire à suivre !

★ ★ ★

] **Le POULET « de grain » est meilleur pour la santé.**

L'expression « poulet de grain » n'est régie par aucune norme au Canada. Par conséquent, tous les poulets du pays peuvent porter cette appellation, car les grains (maïs, blé, orge) constituent l'élément principal de l'alimentation d'une volaille.

Composition de la moulée des poulets réguliers :
88 % de grains (maïs, orge, blé)
10 % de farine et graisses animales
1,5 % de vitamines et minéraux
Moins de 1 % d'enzymes et d'antibiotiques

Environ 90 % de la moulée des poulets réguliers est composée de grains alors que le reste provient de suppléments vitaminiques, de substances animales, d'enzymes et d'antibiotiques. Les suppléments de vitamines et de minéraux protègent les volailles contre les carences nutritionnelles, alors que la farine d'os et de viande ainsi que les graisses animales apportent un complément d'acides aminés et d'énergie. En général, ces ingrédients d'origine animale ne dépassent jamais 10 % de la composition de l'alimentation de certaines moulées et améliorent la valeur nutritive, le goût et la texture du poulet. Finalement, afin de favoriser une bonne digestion et de prévenir les maladies, on ajoute une très petite quantité d'enzymes et d'antibiotiques à ce festin. À noter que ces éléments font l'objet d'une réglementation sévère. D'un point de vue nutritionnel, le poulet est une viande très nutritive, faible en matières grasses (lorsque consommée sans la peau) et qui contient des protéines de haute qualité. Une portion de 100 g de poitrine de poulet constitue une excellente source de vitamines B3 et B6, ainsi qu'une source élevée de phosphore et de vitamine B12.

LE SAVIEZ-VOUS ?

De plus en plus d'éleveurs offrent des poulets nourris exclusivement de grains végétaux, sans aucun produit ni sous-produit d'origine animale. Le poulet « biologique » n'est également nourri que de grains et de produits d'origine végétale, certifiés biologiques et sans antibiotiques. Informez-vous auprès de votre boucher !

] **Le SOYA aide à diminuer les bouffées de chaleur à la ménopause.**

Malgré la croyance populaire, les études actuelles ne permettent pas d'affirmer avec certitude que le soya est efficace pour traiter les symptômes de la ménopause tels que les bouffées de chaleur. En effet, il y a trop d'irrégularités entre les études. Mais peu importe, le soya demeure un aliment sain et nutritif à mettre à notre menu!

LE SAVIEZ-VOUS?

Les isoflavones contenues dans le soya sont des substances végétales qui agissent de manière semblable aux hormones naturelles que sont les œstrogènes. Ces substances seraient bénéfiques pour la santé du cœur et des os.

★ ✖ ✦

] **Le THON contient du mercure.**

 En fait, pratiquement tous les poissons et les fruits de mer contiennent des traces de mercure. Toutefois, certains poissons en contiennent plus que d'autres. Voilà pourquoi Santé Canada[19] suggère de limiter la consommation des poissons les plus contaminés : thon frais ou congelé, requin, espadon, marlin, hoplostète orange (*orange roughy*) et escolier.

CONSIGNES SUR LA CONSOMMATION DES POISSONS LES PLUS CONTAMINÉS EN MERCURE	
Population en général	150 g par semaine
Femmes enceintes, qui prévoient le devenir ou qui allaitent	150 g par mois
Enfants de 5 à 11 ans	125 g par mois
Enfants de 1 à 4 ans	75 g par mois

... Note:
Selon le Guide alimentaire canadien, une portion de viande, de volaille ou de poisson correspond à 75 g (2,5 oz), soit environ la grosseur d'un jeu de cartes

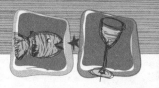

Qu'en est-il du thon en conserve?

Pour la conserve, deux sortes de thons sont utilisées : le thon pâle et le thon blanc (thon germon). Selon les données actuelles dont disposent Santé Canada et l'Agence canadienne d'inspection des aliments (ACIA)[20], les concentrations de mercure dans le thon blanc en conserve sont plus élevées. À titre préventif, Santé Canada formule les conseils suivants à l'intention des enfants et des femmes en âge de procréer :

CONSIGNES SUR LA CONSOMMATION DE THON BLANC EN CONSERVE (NE S'APPLIQUENT PAS AU THON PÂLE)	
Femmes enceintes, qui prévoient le devenir ou qui allaitent	300 g par semaine
Enfants de 5 à 11 ans	150 g par semaine
Enfants de 1 à 4 ans	75 g par semaine

Note:
Une boîte de thon en conserve correspond généralement à 170 g.

CONCLUSION | La consommation de poisson par les femmes enceintes ou qui prévoient le devenir favorise le développement normal du cerveau et des yeux chez le fœtus. De plus, les trésors de la mer favorisent une bonne santé cardiovasculaire chez la population en général. Pour ces raisons, tout le monde devrait consommer du poisson, au moins deux fois par semaine, en optant pour une vaste variété de poissons, tout en respectant les consignes émises par Santé Canada.

] **Le TOFU est un bon substitut de la viande.**

Son profil nutritionnel est très intéressant puisque les haricots de soya (la base du tofu) contiennent plus de protéines et de calories que la plupart des autres légumineuses (ex. : lentilles, haricots rouges, pois chiches). Dépourvu de cholestérol, le tofu contient des fibres et de bons gras (monoinsaturés et polyinsaturés, incluant des oméga-3). Lorsqu'il est fabriqué avec des sulfates de calcium, le tofu contribue à en augmenter notre apport. Le tofu, surtout ferme ou mi-ferme, contient également du fer.

CONCLUSION | Du tofu, du poisson, de la volaille, des légumineuses, de la viande, des œufs… Variez vos aliments, voilà le secret d'une saine alimentation !

★ ★ ★

] **Manger de la VIANDE ROUGE est mauvais pour la santé.**

Tout est une question de quantité et de variété ! La viande rouge contient 14 éléments nutritifs essentiels, comme des protéines, du fer, des vitamines du groupe B, du zinc et du magnésium. Consommée avec modération, la viande rouge s'intègre parfaitement à une alimentation saine et variée.

MON CONSEIL | Pour réduire votre consommation en matières grasses, surtout saturées, retirez le gras visible et privilégiez les viandes rouge maigres (ex. : cheval, sanglier, chevreuil, bison). Alternez votre menu avec d'autres viandes comme le poulet (sans la peau), le veau et le porc. Choisissez des modes de cuisson qui nécessitent peu ou pas de matières grasses (ex. : au four, grillé, poché). Et surtout, réduisez vos portions. Selon le Guide alimentaire canadien[21], une portion de viande, de poisson ou de volaille correspond à 75 g (moins que la grosseur d'un jeu de cartes), ce qui est fort probablement inférieur à la portion dans votre assiette (voir annexe Guide alimentaire canadien) ! L'idée, c'est de considérer la viande comme un accompagnement des légumes et non l'inverse. Finalement, n'oubliez pas de souvent intégrer à votre menu des substituts de la viande, tels que du poisson, des légumineuses et du tofu. Les mots d'ordre : variété et modération !

] Plus une VIANDE est rouge, plus elle est riche en fer.

La couleur de la viande est le reflet de sa teneur en myoglobine, une protéine qui a pour rôle de transporter l'oxygène dans les tissus musculaires de l'animal. Une fois fixée à l'oxygène, la myoglobine devient rouge. Et comme la myoglobine contient du fer, plus une viande est rouge, plus elle est riche en fer.

L'alimentation, la génétique, l'âge et l'espèce de l'animal sont responsables de la teneur en myoglobine des muscles. Ainsi, les muscles qui sont sollicités pour un effort prolongé contiennent plus de myoglobine, du fait d'un besoin supérieur en oxygène. Voilà ce qui explique pourquoi les cuisses et les ailes de poulet sont plus foncées que les muscles qui travaillent moins, comme ceux de la poitrine. Pas bête, n'est-ce pas ?

TENEUR EN FER (mg) PAR PORTION DE 100 g	
Poulet - poitrine, grillée	0,6
Porc - filet, grillé	1,4
Veau - côtelette de veau de grain, grillée	2,4
Bœuf - bifteck de haut de surlonge, grillé	2,7
Canard d'élevage, rôti	2,7
Autruche - cuisse, cuite	4,3
Viande chevaline, rôtie	5

Référence:
Fichier canadien sur les éléments nutritifs - Santé Canada, version 2007b.

LE SAVIEZ-VOUS?

La viande rouge n'est pas l'aliment le plus riche en fer… c'est le boudin! Une portion de 100 g offre 6,5 mg de fer.

Références

1 Gouvernement du Québec – Source d'information sur les organismes génétiquement modifiés : www.ogm.gouv.qc.ca

2 Commission canadienne des grains : www.grainscanada.gc.ca

3 Nicole Audette, sexologue : www.nicoleaudette.com

4 Pêches et Océan Canada : www.dfo-mpo.gc.ca

5 Guide alimentaire canadien : www.santecanada.gc.ca/guidealimentaire

6 Fédération des producteurs d'œufs de consommation du Québec : www.oeuf.ca

7 *Ibid.*

8 Les Producteurs d'œufs du Canada : www.lesoeufs.ca

9 Guide alimentaire canadien : www.santecanada.gc.ca/guidealimentaire

10 Jessica Harnois, sommelière : www.jessicaharnois.com

11 American Heart Association : www.americanheart.org

12 Guide alimentaire canadien : www.santecanada.gc.ca/guidealimentaire

13 COLLECTIF. *L'encyclopédie visuelle des aliments*, Québec Amérique, 1996.

14 Éleveurs de volailles du Québec : www.volaillesduquebec.qc.ca

15 Santé Canada : www.hc-sc.gc.ca

16 Le poulet du Québec : www.lepoulet.qc.ca

17 Organisation mondiale de la santé (OMS) : www.who.int/fr

18 Santé Canada : www.hc-sc.gc.ca

19 *Ibid.*

20 Agence canadienne d'inspection des aliments (ACIA) : www.inspection.gc.ca

21 Guide alimentaire canadien : www.santecanada.gc.ca/guidealimentaire

AUTRES ALIMENTS

- L'ALCOOL augmente le « bon » cholestérol.

- L'ALCOOL désaltère.

- L'ALCOOL s'absorbe plus vite si on a l'estomac vide.

- Les hommes supportent mieux l'ALCOOL.

- Le BEURRE est plus gras que l'huile.

- Une BIÈRE équivaut à un steak.

- La BIÈRE fait plus engraisser que le vin.

- Une cannette de BOISSON GAZEUSE contient l'équivalent de 8 sachets de sucre.

- Les BOISSONS GAZEUSES « diètes » sont meilleures pour la santé.

- La CAFÉINE augmente les pertes de calcium.

- Le CAFÉ est calorique.

- Le CAFÉ aide à dégriser.

- Le CAFÉ est mauvais pour la santé.

- Le CHOCOLAT noir contient des antioxydants.

- Plus un CHOCOLAT est riche en cacao, plus il est calorique.

la suite

- Les CROUSTILLES contiennent du cholestérol.

- Il faut boire de 6 à 8 verres d'EAU par jour.

- Les aliments GRAS donnent des boutons.

- Le GRAS DE CANARD est un gras bon pour la santé.

- L'HUILE DE PÉPINS DE RAISIN est bonne pour la cuisson.

- La MARGARINE est tellement chimique qu'on pourrait la comparer à du plastique.

- Le MIEL et le sirop d'érable sont meilleurs pour la santé que le sucre blanc.

- On retrouve toutes sortes de parties animales dans la SAUCISSE À HOT DOG.

- Le SEL augmente la pression artérielle.

- Le SEL a une influence sur la cellulite.

- Le SEL DE MER est moins nuisible pour la santé.

- Le SUCRE rend les enfants hyperactifs.

- Le THÉ vert est meilleur pour la santé que le thé noir.

- Le THÉ contient de la caféine.

- Boire du THÉ après un repas est une excellente habitude.

- Si on chauffe trop une huile, on crée des gras TRANS.

- Le VIN est meilleur que la bière pour la santé.

] L'ALCOOL **augmente le « bon » cholestérol.**

L'effet protecteur de l'alcool sur les maladies cardiovasculaires proviendrait tout d'abord de l'augmentation, à long terme, du bon cholestérol (HDL-cholestérol) dans le sang. Ce dernier nettoie les parois artérielles en retirant le mauvais cholestérol (LDL-cholestérol) accumulé, prévenant ainsi les blocages coronariens. À court terme, l'alcool pourrait également réduire la formation de caillots sanguins. Selon Éduc'alcool[1], « l'effet protecteur d'une consommation modérée et régulière d'alcool a, jusqu'à présent, été observé à partir de la quarantaine chez les hommes et à partir de la ménopause chez les femmes, pour atteindre son pic auprès des personnes de 60 ans et plus », c'est-à-dire au moment où les risques de maladies cardiovasculaires augmentent.
À ce jour, rien n'indique qu'une consommation, même modérée, protégerait les plus jeunes.

CONCLUSION | Pour prévenir les maladies cardiovasculaires, l'alcool se situe encore bien loin derrière de saines habitudes de vie, telles qu'une alimentation équilibrée, la pratique régulière d'activité physique et la cessation du tabagisme.

★ ★ ★

] L'ALCOOL **désaltère.**

Au contraire, l'alcool possède un effet diurétique et fait uriner davantage. Cette perte d'eau serait même à l'origine de la fatigue et des maux de tête.

MON CONSEIL | Alternez chacune de vos consommations alcoolisées avec un verre d'eau. Ainsi, vous aurez moins la « gueule de bois » au lever !

LE SAVIEZ-VOUS?

L'alcool se diffuse rapidement et facilement dans tous les organes du corps. La raison? Les molécules d'alcool sont si petites qu'elles n'ont pas besoin d'être transformées par des enzymes de digestion pour passer dans le sang.

★ ★ ★

] L'ALCOOL s'absorbe plus vite si on a l'estomac vide.

La vitesse d'absorption de l'alcool dans le sang dépend de la capacité de l'estomac à éliminer son contenu vers l'intestin. Ainsi, si on n'a pas mangé depuis quelques heures, et que notre estomac est vide, on absorbe l'alcool plus rapidement. À l'inverse, plus le repas est copieux et riche en gras, plus le temps d'absorption de l'alcool est long. Par conséquent, les effets de l'alcool se font sentir beaucoup plus lentement lorsque l'estomac est plein.

LE SAVIEZ-VOUS?

Si on a l'estomac vide, l'alcool peut être assimilé dans le sang aussi rapidement que 30 minutes après son ingestion!
Par contre, si l'estomac est relativement plein, l'absorption peut prendre jusqu'à 90 minutes!

] Les hommes supportent mieux L'ALCOOL.

Il faut nuancer. En règle générale, les hommes supportent mieux l'alcool que les femmes étant donné leur poids plus élevé. De plus, le corps des femmes contient proportionnellement plus de graisses que celui des hommes. Puisque l'alcool ne se dilue que dans l'eau et pas dans les graisses, le volume dans lequel l'alcool se répartit est donc plus faible chez les femmes. Résultat? À quantités égales d'alcool consommé, la concentration d'alcool dans le sang (alcoolémie) est plus élevée chez la femme que chez l'homme. Finalement, les femmes ont un foie plus petit que celui des hommes et elles sécrètent donc moins d'enzymes contribuant à l'élimination de l'alcool.

CONCLUSION | L'alcoolémie varie selon les personnes, leur sexe, leur poids, la prise d'aliments, la vitesse d'élimination du foie, etc.

LE SAVIEZ-VOUS?

En règle générale, le pourcentage d'adiposité recommandé chez les hommes est de 15 % à 18 % et se situe de 20 % à 25 % chez les femmes. Ces pourcentages varient avec l'âge, augmentant à mesure que nous vieillissons.

★ ★ ★

] Le BEURRE est plus gras que l'huile.

Composé à 80 % de matières grasses, le beurre contient 103 calories par portion de 15 ml, comparativement à 122 calories, en moyenne, pour les huiles (ex.: olive, maïs, tournesol, pépins de raisin) qui sont toutes composées à 100 % de gras.

Cela dit, l'un des intérêts nutritionnels des huiles est leur apport en acides gras essentiels (oméga-3, oméga-6) et en vitamine E, une vitamine antioxydante. Malgré l'effet protecteur des matières grasses des huiles pour la santé du cœur, allez-y mollo avec la quantité, car toutes les huiles végétales sont caloriques.

LE SAVIEZ-VOUS?

Les huiles tropicales comme celles de noix de coco, de palmiste et de palme sont riches en gras saturés, dont il faut limiter le plus possible la consommation. Elles figurent dans la liste des aliments transformés tels que les biscuits et les gâteaux.

★ ★ ★

] Une BIÈRE équivaut à un steak.

Désolée de vous décevoir, messieurs, mais la bière n'est pas un substitut de la viande! Le profil nutritionnel de ces deux aliments est tout à fait différent. D'abord, le bœuf est une source intéressante de 14 éléments nutritifs essentiels comme des protéines, du fer, des vitamines du groupe B et du zinc, tous absents ou presque, de la bière. Pour sa part, cette dernière est surtout composée de glucides et ne contient que de petites quantités de niacine (B3), d'acide folique et de quelques minéraux. En ce qui a trait aux calories, la viande est plus énergétique que la bière, sans compter qu'elle rassasie beaucoup plus. Cela s'explique par son contenu en protéines plus élevé: 28 g pour une portion de 100 g de steak versus 1 g de protéines pour une bouteille (341 ml) de bière.

] **La BIÈRE fait plus engraisser que le vin.**

MYTHE MAIS

Chaque gramme d'alcool pur cache 7 calories. Ainsi, plus une boisson est alcoolisée, plus elle contient de calories. À quantité égale (ex.: 250 ml), la bière est donc moins calorique (103 calories) que le vin (180 calories) puisque son pourcentage d'alcool est plus faible. Cependant, si on tient compte des formats généralement servis, c'est l'inverse! Une bouteille de bière (341 ml) à 5% d'alcool offre 140 calories comparativement à 108 calories pour un verre de vin à 12% d'alcool d'un format de 150 ml (5 oz).

TYPE DE BIÈRES	ÉNERGIE PAR PORTION DE 341 ml (calories)
Bière régulière, 5% d'alcool	140
Bière sans gluten, réduite en glucides*	106
Bière légère, 4% d'alcool	99
Bière, 0,5% d'alcool**	70

* Bière La Messagère sans gluten (bière de riz et de sarrasin)
** Moyenne de quatre bières commerciales

Référence:
Fichier canadien sur les éléments nutritifs - Santé Canada, version 2007b.

LE SAVIEZ-VOUS?

1 g de glucides = 4 calories
1 g de protéines = 4 calories
1 g d'alcool = 7 calories
1 g de lipides = 9 calories

] **Une cannette de** BOISSON GAZEUSE **contient l'équivalent de 8 sachets de sucre.**

RÉALITÉ

En moyenne, une cannette de boisson gazeuse de 355 ml contient 40 g de sucre. En d'autres mots, c'est comme si vous ajoutiez huit sachets de sucre* à votre verre d'eau ! Avez-vous déjà pensé aux seaux de liqueur servis au cinéma ? Le gros format (1,2 litre) de boisson gazeuse contient 135 g de sucre, soit l'équivalent de 27 sachets de sucre. Incroyable !

* 1 sachet de sucre = 5 g de sucre.

LE SAVIEZ-VOUS ?

Selon Statistique Canada, il s'est bu en moyenne 95 litres de boisson gazeuse par habitant en 2007, comparativement à 83 litres de lait.

★ ★ ★

] **Les** BOISSONS GAZEUSES **« diètes » sont meilleures pour la santé.**

Les boissons gazeuses hypocaloriques ne contiennent aucune calorie, comparativement à 150, en moyenne, pour une cannette (355 ml) de boisson gazeuse originale. Lorsqu'on veut perdre du poids, il paraît donc logique d'opter pour les versions hypocaloriques. Cependant, ces dernières entretiennent le goût pour le sucre et semblent même stimuler les fringales, ce qui n'a pas ou sinon très peu d'impact sur le poids. D'ailleurs, malgré l'engouement pour les produits allégés aux États-Unis, le nombre de personnes obèses ne cesse d'augmenter ! De plus, selon une récente étude américaine[2], la consommation d'une cannette de boisson gazeuse par jour, même sans sucre, serait associée à une perturbation du système qui prédispose fortement au diabète et aux problèmes cardiaques.

CONCLUSION | Boire une boisson gazeuse de temps à autre n'est pas désastreux. Mais sachez que la mention « hypocalorique » ou « diète » est loin d'être synonyme de « santé » !

] La CAFÉINE augmente les pertes de calcium.

Selon certaines études, la caféine peut effectivement accroître l'élimination du calcium par l'urine lorsqu'elle est consommée de façon excessive. Par contre, il est faux de croire qu'une consommation modérée de caféine augmente les pertes osseuses qui peuvent conduire à l'ostéoporose. Selon Ostéoporose Canada[3], « la consommation quotidienne de quatre boissons contenant de la caféine (ex. : café, thé, certaines boissons gazeuses de type cola) n'est pas considérée comme nuisible pourvu que l'apport en calcium soit adéquat. » Ainsi, les personnes qui consomment suffisamment de calcium chaque jour sont mieux protégées contre les effets indésirables possibles de la caféine sur les os.

★ ★ ★

] Le CAFÉ est calorique.

Peu importe son origine ou la façon de l'apprêter, le café est très peu calorique : de 0 à 5 calories par tasse (250 ml). Cela est vrai à la condition de le boire sans sucre et sans crème, bien sûr ! Méfiez-vous des cafés aromatisés qui peuvent être très caloriques. Ces derniers contiennent beaucoup de sucre, des sirops et parfois de la crème. Par exemple, certains cafés glacés offrent plus de 500 calories !

LE SAVIEZ-VOUS ?

Croquer quelques grains de café semble aider à chasser la mauvaise haleine. Mâcher de la menthe, du basilic ou du persil frais après avoir mangé un plat avec de l'ail peut aussi aider à rafraîchir l'haleine.

] Le CAFÉ aide à dégriser.

Malheureusement, seul le temps permet d'éliminer l'alcool. Prendre un café après une soirée bien arrosée peut aider à rester éveillé, mais on demeurera tout aussi ivre! Même une douche bien froide ou de grands verres d'eau ne sont d'aucune aide pour chasser l'effet de l'alcool. Peu importe la quantité consommée, le foie ne peut métaboliser qu'une certaine quantité d'alcool à l'heure, soit de 10 à 15 g. Cette quantité correspond à celle retrouvée dans une consommation standard, telle que l'une ou l'autre de ces quantités:

1 verre de vin à 12% d'alcool (150 ml / 5 oz);
1 bière à 5% d'alcool (341 ml / 12 oz);
1 verre de spiritueux à 40% d'alcool (45 ml / 1,5 oz);
1 verre de vin fortifié à 18% d'alcool (85 ml / 3 oz).

★ ★ ★

] Le CAFÉ est mauvais pour la santé.

À la condition de boire modérément! Voilà une bonne nouvelle pour les amateurs de café! Selon les diététistes du Canada[4], il semble qu'à ce jour une consommation modérée de caféine n'augmente pas les risques de souffrir de maladie cardiovasculaire, d'ostéoporose ou de cancer. D'ailleurs, selon certaines études, le café pourrait réduire le risque de souffrir de certaines maladies comme le diabète de type 2 et la maladie de Parkinson. Cependant, il est trop tôt pour affirmer quoi que ce soit. Histoire à suivre!

Selon Santé Canada[5], un adulte en bonne santé peut consommer jusqu'à 400 mg de caféine par jour, soit l'équivalent d'environ 4 tasses de café infusé de 8 onces. Pour les femmes enceintes ou en âge de procréer, la consommation devrait être limitée à 300 mg, à la condition qu'elles ne prennent aucun autre produit contenant de la caféine (ex.: thé, chocolat, boissons gazeuses de type cola, boissons énergisantes, certains médicaments).

La caféine, à doses faibles ou modérées, offre un effet stimulant bien connu. À court terme, elle augmente le degré de vigilance et la capacité de concentration, puis retarde la fatigue, notamment lors des tâches intellectuelles ou répétitives. Certains lui attribuent également un effet positif sur la digestion et les performances sportives. Cependant, il est difficile d'établir un lien entre la quantité de caféine consommée et les effets précis sur la santé, car la tolérance à la caféine varie beaucoup d'une personne à l'autre. Cela dit, même si la caféine est sécuritaire pour la plupart des adultes, elle peut entraîner des effets secondaires, surtout chez les consommateurs non habitués : troubles de l'humeur (ex. : anxiété), insomnie, agitation, maux de tête, nervosité, brûlements d'estomac, accélération du rythme cardiaque et respiratoire, etc.

CONCLUSION | Boire du café de façon modérée n'est pas mauvais lorsqu'on est en santé. Cependant, il est préférable de faire attention à la quantité consommée et aux ajouts (ex. : sucre, crème, sirops aromatisés), qui peuvent rapidement rendre la boisson très calorique et riche en caféine.

PRODUIT	TENEUR EN CAFÉINE (mg)
Café espresso - 60 ml (1/4 t)	128
Cappuccino - 250 ml (1 t)	106
Café infusé - 250 ml (1 t)	100
Café instantané - 250 ml (1 t)	66
Thé infusé - 250 ml (1 t)	50
Boisson gazeuse de type cola - 1 cannette (355 ml)	37
Chocolat noir* - 50 g (1 1/2 oz)	37
Chocolat au lait - 50 g (1 1/2 oz)	10
Café infusé, décaféiné - 250 ml (1 t)	3

* DESAULNIERS (Marguerite) et DUBOST (Mireille). *Table de composition des aliments*, Département de nutrition, Université de Montréal, 2003.

Référence:
Fichier canadien sur les éléments nutritifs - Santé Canada, version 2007b.

★ ★ ★

] **Le CHOCOLAT noir contient des antioxydants.**

Les flavonoïdes reconnus pour leur activité antioxydante et présents en grande quantité dans le cacao sont les mêmes que ceux retrouvés dans le thé vert, soit les catéchines. Selon une étude sud-coréenne[6], la capacité antioxydante du cacao serait quatre ou cinq fois plus élevée que celle du thé noir, deux ou trois fois plus élevée que celle du thé vert et deux fois plus élevée que celle du vin rouge.

CONCLUSION | Malgré que le chocolat riche en cacao semble posséder une forte activité antioxydante, il est beaucoup trop tôt pour conclure à ses effets bénéfiques sur les maladies chroniques telles que le cancer et les maladies du cœur. D'autres études sont nécessaires.

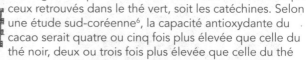

] Plus un CHOCOLAT est riche en cacao, plus il est calorique.

Selon ma petite enquête effectuée dans les boutiques et les supermarchés, cela est vrai dans 99 % des cas… dans la mesure où les étiquettes nutritionnelles consultées sont exactes ! Au Canada, le terme « chocolat » est réservé aux produits contenant du beurre de cacao. Par conséquent, plus un chocolat est riche en cacao (à noter que la pâte de cacao contient de 50 % à 55 % de beurre de cacao), moins il contient de sucre. Et comme les matières grasses sont plus caloriques que le sucre, le tout est logique !

CONCLUSION | Même si le chocolat concentré en cacao semble meilleur pour la santé, consommez-le avec modération.

PAR PORTION DE 40 g	NOIR DE CACAO 60 %	NOIR DE CACAO 72 %	NOIR DE CACAO 85 %
Énergie (calories)	219	222	230
Lipides (g)	16	18	20
Gras saturés (g)	10	11	12
Glucides (g)	19	16	11
Sucre (g)	16	11	6
Protéines (g)	2	3	4

Référence:
Michel Cluizel, cacaofèvier chocolatier Paris

LE SAVIEZ-VOUS ?

Les gras saturés contenus dans le beurre de cacao ne semblent pas augmenter autant le cholestérol sanguin que les gras saturés présents dans le beurre.

] Les **CROUSTILLES** contiennent du cholestérol.

Le cholestérol est uniquement présent dans les aliments d'origine animale tels que les abats, les viandes, les produits laitiers, les jaunes d'œufs et les fruits de mer. Ainsi, les légumes, les noix, les fruits (ex. : avocat, olives) et les céréales n'en contiennent pas.

CONCLUSION | Les croustilles n'ont jamais contenu de cholestérol, car on n'utilise aucun gras animal pour les fabriquer. Malgré tout, consommez-les avec modération car elles sont riches en gras et en calories.

★ ★ ★

] **Il faut boire de 6 à 8 verres D'EAU par jour.**

Cette recommandation n'est pas basée sur des données scientifiques précises, elle sert tout simplement de repère. Chaque jour, notre corps perd en moyenne plus de deux litres d'eau

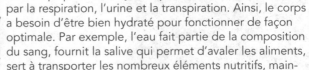

par la respiration, l'urine et la transpiration. Ainsi, le corps a besoin d'être bien hydraté pour fonctionner de façon optimale. Par exemple, l'eau fait partie de la composition du sang, fournit la salive qui permet d'avaler les aliments, sert à transporter les nombreux éléments nutritifs, maintient la température du corps, aide à l'élimination des déchets de la digestion, etc. Même si l'eau représente une excellente façon de s'hydrater, d'autres liquides peuvent nous aider: thés et tisanes, soupes et bouillons, lait, jus, eaux minérales, etc. De plus, tous les aliments sont composés d'eau, y compris la viande !

CONCLUSION | La soif est un signe envoyé par le cerveau pour nous indiquer que les réserves en eau de notre corps sont affaiblies. Contrairement aux signaux de la faim et de la satiété, le signal de la soif doit donc être « anticipé ». Ainsi, il est préférable de boire un peu tout au long de la journée et de ne pas attendre d'avoir soif pour boire. Par temps chaud, lors d'une

activité physique, pendant l'allaitement ou lors d'une maladie (ex. : fièvre), les besoins hydriques augmentent. Buvez donc plus ! Et comme l'eau ne contient aucune calorie, il s'agit d'un choix santé et minceur pour s'hydrater.

LE SAVIEZ-VOUS ?

Pour savoir si vous ingérez assez de liquides dans une journée, regardez la couleur de votre urine : en général, si elle est pâle, c'est que vous vous hydratez suffisamment, sinon augmentez la dose !

] **Les aliments GRAS donnent des boutons.**

 Aussi surprenant que cela puisse paraître, l'acné ne semble pas avoir de relation avec la nourriture (ex : chocolat, croustilles, frites). La cause serait plutôt hormonale, liée à une surproduction de sébum à l'origine des boutons. La génétique et le stress peuvent également expliquer l'apparition de boutons. Cela dit, je crois qu'une bonne alimentation et de saines habitudes de vie se reflètent sur notre santé, à l'intérieur comme à l'extérieur !

] **Le GRAS DE CANARD est un gras bon pour la santé.**

Voilà une croyance qui circule beaucoup ! Sur le plan de la qualité des matières grasses, le gras de canard se situe entre le beurre et l'huile d'olive. En effet, le gras de canard contient moins de mauvais gras (saturés) que le beurre, mais pas autant de bons gras (monoinsaturés) que l'huile d'olive.

CONCLUSION | Peu importe le type de matières que vous utilisez, allez-y mollo avec la quantité! Donnez la priorité aux huiles végétales (ex. : olive, canola, tournesol) qui représentent de meilleures alternatives pour la santé du cœur.

★ ✖ ★

] **L'HUILE DE PÉPINS DE RAISIN est bonne pour la cuisson.**

 L'huile de pépins de raisin peut être utilisée pour la cuisson, car elle possède un point de fumée suffisamment élevé. Le point de fumée représente la température à laquelle l'huile commence à dégager une petite fumée dans le poêlon et où elle commence à se décomposer et à produire des substances toxiques.

LE SAVIEZ-VOUS ?

L'huile d'arachide est la plus recommandée pour les hautes températures, suivie de l'huile d'olive. De leur côté, les huiles de canola, de maïs et de tournesol conviennent très bien pour la cuisson au poêlon. Cependant, il est préférable d'employer à froid les huiles de noix, de lin, de soya et de germe de blé puisqu'elles sont particulièrement instables à la chaleur.

★ ✖ ★

] **La MARGARINE est tellement chimique qu'on pourrait la comparer à du plastique.**

 Voilà un courriel qui a circulé sur le web et que j'ai reçu plusieurs fois. On y mentionne des trucs tels que : « Les composants moléculaires de la margarine sont à 95 %

comme le plastique » et « La margarine triple le risque de maladie coronarienne ».

Tout d'abord, il faut savoir qu'on ne peut pas mettre n'importe quoi dans une margarine. Selon les normes fédérales, la margarine doit obligatoirement être composée à 80 % d'huile végétale et à 16 % d'eau. Le reste des ingrédients provient, par exemple, des solides du lait (ex.: babeurre), de colorants (ex.: bêta-carotène) ou de sel. De plus, la margarine doit être enrichie en vitamines A et D. Or, la margarine n'est pas chimique ni dangereuse pour la santé. Au contraire, ses bonnes matières grasses semblent bénéfiques pour la santé du cœur… à la condition de choisir une margarine molle non hydrogénée, sans quoi il y aura des gras trans.

CONCLUSION | Ne croyez pas tout ce que vous lisez sur Internet !

BON À SAVOIR | Afin de transformer une huile en margarine, deux procédés peuvent être utilisés. Tout d'abord, on peut mélanger des huiles liquides avec des huiles hydrogénées (plus solides) afin d'obtenir un produit facile à tartiner. Par contre, ce procédé n'est pas souhaitable puisqu'il génère des gras trans. Sinon, on peut tout simplement ajouter à l'huile utilisée (ex.: soya, olive) une petite quantité de gras saturés, qui sont habituellement plus « solides » à la température pièce que les acides gras insaturés. Malgré cet ajout, la margarine non hydrogénée demeure un choix intéressant étant donné la forte proportion de bons gras.

LE SAVIEZ-VOUS ?

La margarine a été inventée en 1869 par le chimiste français Mège-Mouriès, à la suite d'un concours lancé par Napoléon III. Ce dernier souhaitait obtenir une alternative au beurre qui, à cette époque, était cher et peu accessible. La margarine a été obtenue en mélangeant du lait et du gras de bœuf. C'est à partir de 1872 que la margarine fut commercialisée.

] Le MIEL et le sirop d'érable sont meilleurs pour la santé que le sucre blanc.

Miel, sirop d'érable, cassonade, mélasse, sucre blanc... Les différences nutritionnelles sont négligeables : ils ne contiennent ni protéines, ni lipides, ni fibres. Ces sucres sont surtout composés de glucides et ne renferment qu'une minime quantité d'éléments nutritifs. Par conséquent, le miel et le sirop d'érable ne contribuent pas, de façon significative, à combler nos besoins quotidiens en vitamines et en minéraux, d'autant plus qu'ils ne sont généralement consommés qu'en faible quantité. Voilà pourquoi on ne peut affirmer que le miel et le sirop d'érable sont bons pour la santé. Ils sont juste un peu mieux, disons ! Toutefois, j'avoue que j'aime beaucoup mieux sucrer mes smoothies avec du miel qu'avec du sucre blanc et que je ne pourrais pas me passer de mon sirop d'érable dans mon gruau !

★ ★ ★

] On retrouve toutes sortes de parties animales dans la SAUCISSE À HOT DOG.

Selon la loi, il est interdit d'utiliser certaines parties d'animaux pour la fabrication des saucisses fumées. Ainsi, les yeux, les oreilles, les museaux, les ongles et les organes génitaux ne peuvent, par exemple, faire partie de notre hot dog préféré !

Et lorsqu'on lit « viande désossée mécaniquement » dans la liste des ingrédients, il est question de la viande qui reste attachée aux os. Malgré tout, la valeur nutritive d'une saucisse à hot dog est loin d'être idéale.

] Le SEL augmente la pression artérielle.

Ça dépend… de la personne! Eh non, ce n'est pas tout le monde qui est « sensible » au sel contenu dans les aliments. Par conséquent, une alimentation riche en sodium n'augmente pas systématiquement la pression artérielle. Selon certains auteurs, cette sensibilité au sel, augmentant parfois la pression artérielle, s'expliquerait par une prédisposition génétique. De plus, une alimentation faible en calcium et en potassium semble accroître l'effet hypertenseur d'un régime riche en sel.

CONCLUSION | Comme il est difficile de déterminer qui est sensible au sodium et qui ne l'est pas, chacun a avantage à manger sainement et à consommer le sel et les aliments riches en sel avec modération.

LE SAVIEZ-VOUS?

L'hypertension peut causer différents symptômes (ex. : maux de tête, problèmes de vision, étourdissements), mais la plupart des personnes hypertendues n'en présentent aucun. Voilà pourquoi on surnomme l'hypertension le « tueur silencieux ».

] Le SEL a une influence sur la cellulite.

Il semble qu'un apport excessif en sel, de même qu'une diète riche en sucres et en matières grasses, contribuerait à l'apparition de la cellulite. Selon les écrits, d'autres facteurs pourraient également contribuer à aggraver la peau d'orange, tels que les excès d'alcool, une mauvaise hydratation, la sédentarité, le tabagisme, le port régulier de chaussures à talons hauts, de longues périodes dans une position statique, l'excès de poids, le stress, etc. Pour mettre toutes les chances de votre côté, misez sur une bonne hygiène de vie!

★ ★ ★

] Le SEL DE MER est moins nuisible pour la santé.

Malgré que le sel marin contienne naturellement de petites quantités de minéraux (ex.: calcium, magnésium), il n'est pas meilleur pour la santé étant donné sa teneur élevée en sodium. Sel de mer, sel de table, fleur de sel, sel en cristaux… les sels sont tous composés principalement de la même substance: le chlorure de sodium. Ainsi, chaque cuillère à thé (5 ml) de sel offre environ 2400 mg de sodium. Même si, jadis, on l'appelait « or blanc », il ne faut jamais abuser du sel!

] Le SUCRE rend les enfants hyperactifs.

Voilà un mythe coriace! Contrairement à la croyance populaire, de nombreuses études scientifiques ont démontré que les sucreries ne rendent pas les enfants normaux hyperactifs et n'aggravent pas non plus les symptômes de ceux qui souffrent d'hyperactivité. Et si les enfants étaient plutôt stimulés par ce qu'ils vivent plutôt que par ce qu'ils mangent? Pensez-y: les enfants mangent souvent de petites douceurs sucrées lors d'évènements spéciaux: sortie en famille, fête d'amis, visite chez les grands-parents « gâteaux » ou chez les cousins, etc.

CONCLUSION | Le fait de rendre ces aliments peu accessibles les rend seulement encore plus attirants. Il est donc faux, archi-faux de croire que le sucre est responsable des troubles comportementaux chez les enfants... ou chez les adultes!

★ ✖ ★

] Le THÉ vert est meilleur pour la santé que le thé noir.

En fait, le thé vert semble plus intéressant pour prévenir le cancer en raison de la présence de catéchines. Ces dernières offrent une foule de propriétés anticancéreuses, en grande partie détruites lors de la transformation du thé noir. Mais encore faut-il choisir le thé vert en feuilles et non en sachets, et l'infuser suffisamment longtemps. « Pour maximiser la protection offerte par le thé, choisissez de préférence les thés verts japonais, plus riches en molécules anticancéreuses, et allouez de 8 à 10 minutes d'infusion pour permettre une bonne extraction des molécules. Buvez toujours votre thé fraîchement infusé (évitez les thermos) et espacez dans la journée la consommation de vos trois tasses », nous recommandent les auteurs du livre *Les aliments contre le cancer*[7].

★ ★ ★

] **Le THÉ contient de la caféine.**

C'est ce que l'on appelle la théine. Et réalité, la caféine et la théine représentent la même molécule, connue sous deux appellations différentes. Eh oui, la caféine fut découverte en 1821 alors que la théine a été identifiée en 1827. Mais ce n'est que quelques années plus tard qu'on s'est rendu compte qu'il s'agissait de la même substance !

] **Boire du THÉ après un repas est une excellente habitude.**

Boire du thé est une excellente habitude pour la santé, mais pas immédiatement après un repas. En effet, certaines composantes du thé peuvent nuire à l'absorption du fer par l'organisme. Pour éviter ce problème, il est préférable de boire notre tasse de thé une heure ou deux avant ou après les repas.

★ ★ ★

] **Si on chauffe trop une huile, on crée des gras TRANS.**

Tout d'abord, il est bon de savoir que les gras trans sont créés lors du processus d'hydrogénation partielle, qui transforme une huile végétale liquide en une graisse semi-solide, comme c'est le cas pour le shortening et les margarines hydrogénées. Ainsi, il est impossible de créer des gras trans lorsqu'on chauffe trop une huile. Par contre, lorsqu'une huile est trop chauffée et que son point de fumée* est dépassé, il y a création de substances toxiques. Il est donc important de jeter toute huile qui a fumé, qui possède une odeur rance ou qui ne bouillonne pas dans un poêlon chaud lorsqu'on ajoute les aliments.

* Point de fumée : Température à laquelle l'huile commence à dégager une petite fumée dans le poêlon et où elle commence à se décomposer et à produire des substances toxiques.

] Le VIN est meilleur que la bière pour la santé.

Selon plusieurs études, les bénéfices d'une consommation modérée et régulière d'alcool ne semblent pas exclusifs au vin rouge. Par consommation modérée, on entend un ou deux verres par jour, tout alcool confondu. Ainsi, on suggère aux femmes qui ne sont pas enceintes de limiter leur consommation à 9 verres par semaine, et aux hommes, à 14 verres par semaine (voir p. 118 pour la grosseur des portions. Cette consommation doit être répartie à peu près également tous les jours, donc ne pas être prise au cours d'une seule soirée!

CONCLUSION | L'alcool agit sur la santé comme un couteau à double tranchant. Consommé modérément, l'alcool peut protéger contre les maladies coronariennes, mais une consommation trop élevée et prolongée augmente le risque de maladies du cœur, favorise les maladies du foie et accroît certains types de cancers. Cesser de fumer, bien se nourrir, faire de l'exercice sont autant de moyens pour être en bonne santé. Nul besoin de se mettre à boire ou à boire davantage. La modération aura toujours meilleur goût! Finalement, il est important de noter que l'alcool est calorique, ce qui n'est pas souhaitable pour tous les tours de taille!

Références

1 Éduc'alcool : www.educalcool.qc.ca

2 DHINGRA (Ravi), SULLIVAN (Lisa), JACQUES (Paul F.), WANG (Thomas J.), FOX (Caroline S.), MEIGS (James B.), D'AGOSTINO (Ralph B.), GAZIANO (J. Michael), et VASAN (Ramachandran S.). « Soft Drink Consumption and Risk of Developing Cardiometabolic Risk Factors and the Metabolic Syndrome in Middle-Aged Adults in the Community », *Circulation*, 2007.

3 Ostéoporose Canada : www.osteoporosecanada.ca

4 Les diététistes du Canada : www.dietitians.ca

5 Santé Canada : www.hc-sc.gc.ca

6 LEE (Ki Won), KIM (Young Jun), LEE (Hyong Joo), LEE (Chang Yong). *Cocoa has more phenolic phytochemicals and a higher antioxidant capacity than teas and red wine*, J Agric Food Chem 2003, December 3;51(25) :7292-7295.

7 BÉLIVEAU (R.) et GINGRAS (D.). *Les aliments contre le cancer*, Trécarré, Quebecor Media; 2005.

POIDS

- Les ALIMENTS bien mastiqués font moins engraisser.

- Les ALIMENTS LÉGERS font maigrir

- Une livre correspond à 3500 CALORIES.

- Les hommes brûlent plus facilement les CALORIES.

- La CIGARETTE fait maigrir

- Les mauvaises COMBINAISONS ALIMENTAIRES font engraisser.

- Lorsqu'on mange moins, notre ESTOMAC rapetisse.

- Les GLUCIDES font engraisser.

- Le GRAS accumulé au niveau du ventre est plus dangereux pour la santé que celui autour des hanches.

- Il est recommandé de perdre 1 OU 2 LIVRES au maximum par semaine.

- Ce que je mange le MATIN ne me fait pas grossir.

- En vieillissant, notre MÉTABOLISME ralentit.

- Plus on est MINCE, plus on est en santé.

- Pour maigrir, il faut éliminer les quatre « P ».

- Manger du PIMENT aide à perdre du poids.

la suite

- Les PRODUITS LAITIERS peuvent aider à maigrir.

- Les PROTÉINES coupent l'appétit.

- Pour maigrir, il ne faut pas manger entre les REPAS.

- Manger le SOIR fait engraisser.

- Le manque de SOMMEIL fait engraisser.

- Le THÉ vert fait maigrir.

] Les ALIMENTS bien mastiqués font moins engraisser.

Le temps consacré à mastiquer les aliments ne change en rien le nombre de calories qu'ils fournissent à notre corps. Cependant, en prenant le temps de bien les mâcher, on est davantage disposé à ressentir nos signaux de satiété. Résultat : on avale moins de calories superflues !

 N'est-ce pas ça, la vraie gourmandise : prendre le temps de savourer chaque bouchée ? Bref, une bonne mastication facilite également la digestion et améliore l'absorption des nutriments.

CONCLUSION | En mastiquant bien la nourriture, vous mangez moins, vous assimilez mieux les éléments nutritifs et vous vous régalez davantage. À vos aliments, prêts, mâchez !

★ ★ ★

] Les ALIMENTS légers font maigrir.

Il n'est pas prouvé que les produits allégés permettent de maigrir ou de contrôler son poids à long terme.
Souvent, la prise de produits allégés est compensée par une consommation accrue d'autres aliments. Au bout du compte, le bilan calorique est nul ! Les produits allégés ne sont pas

 toujours aussi avantageux qu'ils en ont l'air malgré les allégations nutritionnelles alléchantes, telles que « léger », « sans gras » et « sans sucre ». Pour éviter les mauvaises surprises, il importe de bien lire les étiquettes nutritionnelles et de comparer entre elles les versions légères et originales. Certains produits réduits en gras contiennent plus de sucre que leur version originale. Ainsi, les produits allégés sont parfois aussi caloriques que les produits originaux.

CONCLUSION | Utilisez les produits allégés en toute connaissance de cause et à bon escient. Ouvrez l'œil avant d'ouvrir la bouche !

] **Une livre correspond à 3500 CALORIES.**

Théoriquement, si on ingère un surplus de 500 calories pendant sept jours, on va gagner une livre de gras au bout du compte. À l'opposé, lorsqu'on cumule un déficit de 3500 calories, on perd une livre. Ce déficit peut être le résultat d'une augmentation de notre activité physique, d'une diminution de notre apport alimentaire ou d'un mélange des deux.

MON CONSEIL | Le meilleur régime est celui que vous pourrez suivre durant toute votre vie ! Ainsi, ne comptez pas les calories pour maigrir. Adoptez plutôt de meilleures habitudes alimentaires, soyez davantage à l'écoute de vos signaux de faim et de satiété et, surtout, augmentez votre dépense énergétique par des exercices physiques.

L'activité physique est l'une des stratégies importantes pour atteindre et maintenir un poids santé, d'où l'importance de bouger avec le sourire et pour le plaisir ! Vous trouverez ci-dessous quelques exemples d'aliments et la durée d'exercice nécessaire pour brûler les calories.

ALIMENT	ÉNERGIE (calories)	ACTIVITÉ PHYSIQUE	DURÉE NÉCESSAIRE POUR BRÛLER LES CALORIES*
15 ml (1 c. à soupe) d'huile d'olive	122	Jardinage, entretien ménager, intensité modérée	20 minutes
1 cannette (355 ml) de boisson gazeuse, type cola	141	Natation, intensité élevée	13 minutes
1 petit hamburger, tout garni	279	Tennis en simple, intensité modérée	41 minutes
30 croustilles	324	Patin à roues alignées, intensité modérée	60 minutes
1 pâté au poulet (300 g)	614	Marche, intensité modérée	2 heures

* L'information sur les calories brûlées par portion de nourriture est basée sur le poids d'une personne d'environ 66 kg (145 livres).

Référence:
Calculatrice alimentaire, Fondation des maladies du cœur : www.fmcoeur.ca

] Les hommes brûlent plus facilement les CALORIES.

Les besoins énergétiques quotidiens sont déterminés par le sexe, le poids, la taille, l'âge et l'activité physique. Puisque les hommes sont généralement plus grands, plus lourds et plus musclés que les femmes, ils ont besoin de plus d'énergie (calories) pour couvrir leurs besoins quotidiens. C'est ce qui explique pourquoi les hommes peuvent souvent manger plus que les femmes… sans prendre de poids. Injuste, n'est-ce pas ?

★ ★ ★

] La CIGARETTE fait maigrir.

Selon une récente étude réalisée par des chercheurs de l'Université de Montréal[1], fumer n'est pas un régime. Les résultats n'ont démontré aucun lien entre la cigarette et le poids ou l'adiposité chez les jeunes filles. Du côté des garçons, un très faible impact a été constaté sur le poids (−0,4 kg/m^2 sur l'IMC). Or, fumer ne fait pas maigrir ! En revanche, il est exact de dire que, pour la plupart des ex-fumeurs, la prise de poids est bien réelle, et les raisons sont multiples. Tout d'abord, habitués d'avoir les mains et la bouche en action, les ex-fumeurs compensent souvent le geste de fumer par le grignotage. Ensuite, puisque la nicotine atténue la saveur des aliments et peut diminuer l'appétit[2], la nourriture devient plus savoureuse avec l'arrêt du tabagisme, et l'appétit s'en trouve rehaussé.

CONCLUSION | Fumer pour maigrir ou pour éviter de prendre quelques kilos n'est pas du tout une solution saine. La cigarette contient 4000 substances toxiques dont plus de 50 sont cancérigènes ! Les avantages à cesser de fumer sont largement supérieurs au désavantage, souvent temporaire, de gagner quelques kilos.

] **Les mauvaises COMBINAISONS ALIMENTAIRES font engraisser.**

Peu importe les aliments que l'on mange et l'ordre dans lequel on les avale, on engraisse uniquement si on mange trop par rapport à ce que l'on dépense.
Un point c'est tout! On n'a pas à suivre des combinaisons alimentaires sophistiquées pour maigrir, c'est se donner de la misère pour rien.

 **CONCLUSION |** L'heure des repas est censée être un moment de détente et de plaisir, non de mathématique alimentaire! Pour perdre du poids, mangez mieux et moins, et, surtout, bougez plus.

] **Lorsqu'on mange moins, notre ESTOMAC rapetisse.**

L'estomac est un organe souple et extensible qui sert à la digestion. Lorsqu'on n'a pas mangé depuis quelques heures, il ressemble alors à un ballon dégonflé avec un volume d'environ 60 ml (¼ t). Quand il est plein, il peut s'agrandir et contenir jusqu'à 4 litres de nourriture et de liquide ! Cependant, même après avoir été étiré pendant une longue période, l'estomac reprend sa forme initiale.

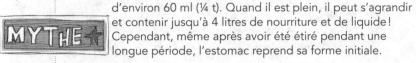

CONCLUSION | Jeûner ou manger moins ne peut donc pas faire rétrécir l'estomac. Dès que vous recommencerez à manger et à boire, votre estomac s'agrandira de nouveau.

] **Les GLUCIDES font engraisser.**

Depuis quelques années, il y a un engouement pour les régimes à faible teneur en glucides, car certains croient que ces derniers font engraisser. Or, il est bon de savoir qu'à quantité égale les glucides fournissent autant de calories que les protéines (4 calories/gramme) et près de deux fois moins que les lipides (9 calories/gramme). Santé Canada[3] recommande que de 45 % à 65 % de l'énergie que nous fournissent les aliments proviennent chaque jour des glucides contenus dans les aliments, ce qui représente la source d'énergie principale. Voilà pourquoi le Guide alimentaire canadien[4] nous propose de manger chaque jour, en plus grande quantité, des fruits, des légumes et des produits céréaliers, des sources importantes de glucides (voir annexe Guide alimentaire canadien).

Cela dit, il semble que les régimes dont la teneur en glucides est moyennement réduite, mais dont l'apport en protéines est augmenté, pourraient s'avérer efficaces pour maigrir à court terme, notamment à cause du pouvoir rassasiant des protéines. Cependant, les résultats actuels ne semblent pas concluants pour atteindre et maintenir un poids santé à long terme (au-delà de 12 mois).

CONCLUSION | Vous pouvez certainement réduire votre consommation d'aliments sucrés et pauvres en nutriments tels que les pâtisseries, les biscuits, les bonbons et le sucre blanc. Cependant, les aliments glucidiques nutritifs comme les fruits, les légumes, les produits céréaliers à grains entiers ainsi que les légumineuses représentent une part importante d'une saine alimentation. Ces aliments constituent même une aide précieuse pour perdre des kilos et maintenir un poids santé puisqu'ils sont riches en fibres. Ces dernières nécessitent une plus longue période de mastication et de digestion, ce qui contribue à la satiété.

LE SAVIEZ-VOUS?

Chaque jour, le cerveau consomme environ 140 g de glucose (sucre), soit l'équivalent du contenu en glucides de 9 tranches de pain! [5]

★ ★ ★

] **Le GRAS accumulé au niveau du ventre est plus dangereux pour la santé que celui autour des hanches.**

Selon plusieurs études, la localisation du surplus de poids est un facteur important à considérer dans l'évaluation des risques de maladies. Ainsi, une accumulation de gras autour de la taille et dans la partie supérieure du corps (appelée la forme « pomme ») est associée à un plus grand risque pour la santé qu'un excès de graisse localisé au niveau des hanches et des cuisses (appelé forme « poire »). Voilà pourquoi les professionnels de la santé mesurent, en plus de l'indice de masse corporelle (voir l'encadré ci-dessous), le tour de taille, car c'est un indicateur de risque de maladies associées à la graisse abdominale. Selon Santé Canada[6], lorsque le tour de taille est supérieur ou égal à 102 cm (40 po) pour les hommes et à 88 cm (35 po) pour les femmes, les risques de diabète de type 2, de maladies du cœur et d'hypertension sont plus élevés.

CONCLUSION | Mesdames, même si vous n'aimez votre « culotte de cheval », celle-ci ne pose pas de danger pour la santé, comparativement à la « bedaine » de bière des messieurs !

LE SAVIEZ-VOUS ?

IMPORTANT : L'interprétation de l'indice de masse corporelle doit être faite par un professionnel de la santé. Sachez qu'un poids « normal » n'est pas automatiquement sans risque pour la santé et, à l'inverse, qu'un surplus de poids n'entraîne pas systématiquement des problèmes pour la santé.

L'indice de masse corporelle (IMC) est un outil vous permettant d'évaluer, selon votre taille, l'intervalle de poids associé à une santé optimale. Cependant, pour évaluer votre santé globale, d'autres facteurs doivent être pris en considération (ex. : alimentation, tour de taille, activité physique, tabagisme, maladies).

Le calcul de l'IMC vise les adultes, à l'exclusion des femmes enceintes ou qui allaitent. À noter que la mesure de l'IMC peut sous-estimer ou surestimer les risques de maladies chez certains individus, en particulier chez ceux qui ont une forte musculature ou qui sont naturellement très minces, chez les jeunes adultes qui n'ont pas achevé leur croissance et chez les personnes de plus de 65 ans.

Pour calculer votre IMC, il suffit de prendre votre poids en kilogrammes et de le diviser par votre taille, en mètres, élevée au carré :

$$IMC = \frac{Poids\ en\ kg}{(Taille\ en\ mètres)^2}$$

Notes : 1 kg = 2,2 livres / 1 pied = 12 pouces / 1 pouce = 2,54 cm

CLASSIFICATION	CATÉGORIE DE L'IMC	RISQUE DE DÉVELOPPER DES PROBLÈMES DE SANTÉ
Poids insuffisant	Moins de 18,5	Accru (ex. : fatigue, anémie, ostéoporose, surtout si vous ne mangez pas à votre faim)
Poids normal	de 18,5 à 24,9	Moindre
Excès de poids	de 25 à 29,9	Accru
Obésité	Plus de 30	Élevé

Référence:
Adapté de Santé Canada. *Lignes directrices canadiennes pour la classification du poids chez les adultes.* Ministre des Travaux publics et Services gouvernementaux du Canada, 2003.

] **Il est recommandé de perdre** 1 OU 2 LIVRES
au maximum par semaine.

Pour maigrir de façon saine et durable, les professionnels de la
santé recommandent effectivement de perdre au maximum de
0,5 à 1 kilo (1 ou 2 livres) par semaine, en adoptant de bonnes
habitudes pour la vie !

Mon conseil : Vous ne gagnerez pas 4,5 kilos (10 livres) en
une semaine, alors pourquoi espérer en perdre autant en
si peu de temps ? Évitez la tentation de maigrir rapidement, car,
à long terme, vous ne serez pas gagnant. En effet, les pertes de
poids trop rapides s'expliquent habituellement par une perte
d'eau et de muscle, et non seulement de gras. Or, la perte de
masse musculaire n'est pas du tout souhaitée, car les muscles
sont de grands consommateurs d'énergie. La perte de muscles
ralentit votre métabolisme de base, c'est-à-dire la quantité de
calories que vous dépensez au repos.

CONCLUSION | La réussite d'une perte de poids à long terme
réside dans le temps et dans la modification permanente de
vos habitudes de vie. En bout de ligne, prendre son temps est
très payant !

LE SAVIEZ-VOUS ?

Si un aliment n'est pas satisfaisant d'un point de vue gustatif ou
s'il provoque des émotions négatives (culpabilité de manger un
aliment « interdit », peur de grossir, colère de ne pas manger autre
chose, tristesse du temps passé...), on a tendance à en
manger davantage ou à manger ensuite un aliment plus agréable
en bouche même si on n'a plus faim. C'est un peu comme si on
devait atteindre une certaine somme de plaisir et que chaque
bouchée participait plus ou moins à l'atteindre. Bref, plus il y a
de plaisir par bouchée, moins il y a de bouchées ![8]

] Ce que je mange le MATIN ne me fait pas grossir.

Certaines personnes croient qu'elles peuvent manger n'importe quoi le matin, sous prétexte qu'elles vont brûler les calories au cours de la journée. Il est vrai que le corps utilise l'énergie du déjeuner pour vaquer à ses occupations matinales. Mais attention : si vous mangez un trio œufs-bacon-saucisses tous les matins, il ne vous restera plus beaucoup de jeu, en ce qui a trait aux calories, pour les autres repas. Pour ne pas dépasser vos besoins énergétiques et, par conséquent, engraisser, vous devrez revoir à la baisse la composition calorique de votre dîner et de votre souper.

CONCLUSION Le déjeuner peut contribuer à un surplus de calories au cours de la journée, favorisant ainsi un gain de poids. Pour une meilleure gestion de votre poids et de votre énergie, il est préférable de répartir les calories de façon à peu près égale tout au long de la journée. En d'autres mots, soyez à l'écoute de votre corps : il vous dira quand et quelle quantité manger.

★ ★ ★

] En vieillissant, notre MÉTABOLISME ralentit.

À partir de la vingtaine, le métabolisme de base diminue d'environ 2 % ou 3 % tous les dix ans. Autrement dit, à alimentation égale, on risque de prendre du poids avec les années ! Mais théoriquement, en vieillissant, notre appétit devrait également diminuer, ce qui ne devrait pas jouer dans la balance.

Plus une personne est jeune et active physiquement, plus son métabolisme tend à être élevé. En vieillissant, notre masse musculaire fait place à plus de tissus graisseux, ce qui contribue également à ralentir le métabolisme, car les muscles brûlent plus d'énergie que les graisses. Donc, plus on est musclé, plus on brûle de calories, y compris au repos ! Mesdames, un peu de poids et haltères ?

CONCLUSION | En vieillissant, soyez actif et mangez un peu moins pour garder un poids stable et une bonne santé! Et surtout, respectez vos signaux de faim et de satiété.

LE SAVIEZ-VOUS?

La meilleure façon de répondre à vos besoins en énergie et, du même coup, d'éviter d'engraisser, c'est d'écouter les signaux que votre corps vous envoie. Une baisse d'énergie, un estomac qui gargouille, une sensation de vide dans l'estomac sont des exemples de signaux de la faim. Lorsqu'ils se manifestent, mangez! À l'opposé, lorsque vous vous sentez rassasié sans être trop plein, que vous avez plus d'énergie et que les aliments sont moins appétissants, c'est signe que votre corps est satisfait: cessez de manger[9].

★ ★ ★

] **Plus on est MINCE, plus on est en santé.**

Il est vrai que plus l'excès de poids augmente, plus le risque de développer certaines maladies est grand (ex.: diabète de type 2, hypertension, maladies cardiovasculaires, certains types de cancers). Toutefois, ce sont les bonnes habitudes de vie en général qui favorisent la santé. Être mince ou avoir un poids « normal » (voir page 144 - IMC) ne signifie pas au-tomatiquement que vous êtes en santé. Mieux vaut avoir un léger surplus de poids, être actif physiquement, avoir de saines habitudes alimentaires et ne pas fumer qu'être mince, sédentaire, stressé et fumeur!

CONCLUSION | L'hyperminceur n'est pas un gage de bien-être et de santé.

★ ★ ★

] **Pour maigrir, il faut éliminer les quatre « P ».**

Pain, pâtes, pâtisserie et pomme de terre : les quatre « P » les plus redoutés des régimes amaigrissants ! Les pâtisseries sont sans aucun doute une source de plaisir pour nos papilles gustatives, mais elles ne sont pas essentielles à notre alimentation. On les consomme donc à l'occasion. En ce qui concerne le pain, les pâtes et les pommes de terre, ne vous privez pas d'en manger. Nutritifs et rassasiants, ces aliments n'ont pas le pouvoir de nous faire engraisser. C'est l'ensemble de nos habitudes de vie qui, à moyen ou à long terme, finissent par faire augmenter le chiffre sur le pèse-personne. Si vous êtes soucieux des calories, soyez moins généreux avec les portions et les garnitures. Ainsi, allez-y mollo avec les accompagnements sur votre pain et votre pomme de terre (ex. : beurre, margarine) et privilégiez les sauces aux légumes plutôt que les sauces à la crème pour accompagner vos pâtes.

] **Manger du PIMENT aide à perdre du poids.**

PEUT-ÊTRE

La capsaïcine est un composé actif contenu dans le piment, qui serait non seulement responsable de la sensation piquante de cet aliment, mais également d'un effet stimulant sur le métabolisme de base. Selon certaines études, cette substance épicée entraînerait une augmentation de la dépense énergétique et de la sensation de satiété, ainsi qu'une diminution de l'apport alimentaire. Encore faut-il aimer manger *caliente* et consommer des mets épicés régulièrement... car manger du piment une fois de temps en temps n'a jamais fait maigrir personne !

CONCLUSION | Rappelez-vous qu'aucun aliment isolé ne fait maigrir, c'est l'ensemble de nos habitudes de vie qui importe.

LE SAVIEZ-VOUS ?

Au feu, les pompiers ! Pour calmer une bouche qui brûle, optez pour un produit laitier : lait, yogourt ou fromage. La protéine de ces aliments, appelée caséine, a le pouvoir de neutraliser la sensation piquante du piment.

★ ★ ★

] **Les PRODUITS LAITIERS peuvent aider à maigrir.**

Certaines études indiquent que les produits laitiers joueraient un rôle dans la perte et le maintien du poids, particulièrement chez les gens qui ne consomment pas suffisamment de calcium. Le calcium, particulièrement celui des produits laitiers (pas des suppléments), inciterait le corps à utiliser les gras comme source d'énergie, réduisant ainsi l'entreposage des graisses corporelles.

CONCLUSION | Malgré que les produits laitiers n'aient rien de magique, ils semblent un atout supplémentaire pour la gestion du poids. Comme quoi la variété demeure gagnante !

] Les PROTÉINES coupent l'appétit.

Contrairement à la croyance populaire, les aliments riches en calories ou en gras ne sont pas les plus rassasiants.
Au contraire ! Il existe des données qui démontrent que les protéines offrent le pouvoir rassasiant le plus élevé, suivies des glucides et des lipides. Selon les travaux d'une équipe de chercheurs du Centre national de la recherche scientifique de France (CNRS), l'ingestion de protéines stimulerait la synthèse du glucose par l'intestin et générerait ainsi un signal de satiété au cerveau. Et comme les protéines sont plus longues à digérer (de deux à quatre heures), elles nous aident à patienter entre les repas. Voilà pourquoi elles sont reconnues comme des coupe-faim naturels !

CONCLUSION | Pour éviter les fringales à tout moment de la journée, assurez-vous d'avoir une source de protéines à chacun de vos repas, y compris au déjeuner. Voici les meilleures sources de protéines : poisson, volaille, viande, œufs, tofu, légumineuses, noix et graines, beurre d'amande, beurre d'arachide, tofu, lait, fromage et yogourt.

LE SAVIEZ-VOUS ?

Les aliments riches en fibres, tels que les grains entiers et les légumineuses, permettent aussi de ressentir la satiété plus longtemps puisqu'ils nécessitent une plus longue période de mastication et de digestion.

★ ★ ★

] Pour maigrir, il ne faut pas manger entre les REPAS.

Si on respecte ses signaux de faim et de satiété, grignoter entre les repas ne nous fera pas engraisser. La règle est simple : si on mange seulement lorsque notre corps a besoin d'énergie et que l'on cesse lorsqu'il en a assez, on n'accumule pas les kilos. D'ailleurs, des collations bien choisies peuvent même nous aider à maigrir! Les en-cas sont idéals pour calmer la faim entre les repas et ainsi nous aider à manger plus raisonnablement au repas suivant.

CONCLUSION I Soyez à l'écoute de votre corps. Ne vous priver pas de prendre une collation entre les repas si vous avez faim et, surtout, exit la culpabilité!

★ ★ ★

] **Manger le SOIR fait engraisser.**

Certaines personnes croient que manger en soirée fait engrais-ser sous prétexte que le métabolisme est au ralenti pendant la nuit. Faux! Si cette théorie était bonne, alors pourquoi certains Européens, qui mangent de façon copieuse et tard en soirée, ne sont-ils pas tous gros? Or, le moment de la journée choisi pour manger ne modifie pas l'apport énergétique des aliments et la façon dont notre corps utilise cette énergie. Par exemple, une banane four-nit le même nombre de calories qu'elle soit consommée à 7 h ou à 22 h. Tout comme une voiture en marche, le corps brûle son carburant tout aussi efficacement, peu importe le moment de la journée.

CONCLUSION I Manger avant d'aller au lit ne fait pas engraisser dans la mesure où votre corps demande à manger. Rappelez-vous que c'est le surplus de calories qui fait engraisser. Ainsi, il est impératif de différencier une vraie faim d'une fausse faim… car, souvent, lorsqu'on mange le soir, c'est plus pour grignoter que par réelle faim!

Contrairement à la vraie faim qui représente un besoin physiologique, la fausse faim survient en réponse à des stimuli externes engendrant un besoin psychologique de manger. Par exemple, vous passez devant une chocolaterie et l'odeur des chocolats déclenche l'envie de manger, ou, encore, après une dispute, vous mangez pour vous calmer. Si vous doutez de votre faim, attendez 15 minutes. Si, après cette période, la faim est toujours présente ou qu'elle a augmenté, c'est un bon indice qu'il s'agit d'une vraie faim. Sinon, changez-vous les idées (ex. : lecture, bain, appel téléphonique, marche…) La vraie faim reviendra plus tard ![7]

] **Le manque de SOMMEIL fait engraisser.**

Depuis quelques décennies, la durée moyenne de sommeil a diminué de plus d'une heure par jour[10]. Avec l'augmentation de l'obésité, il était donc logique d'étudier la relation entre le sommeil et le poids. Or, la relation semble particulièrement vraie chez les enfants. Selon les résultats d'études effectuées avec cette clientèle, le sommeil de courte durée serait associé à un poids supérieur. L'une des explications reliant le sommeil et le poids serait d'ordre hormonal. En effet, lors d'un manque de sommeil chronique, l'hormone responsable de stimuler l'appétit (ghreline) est augmentée. À l'opposé, il y a une baisse de la sécrétion de leptine, l'hormone responsable de stimuler la dépense énergétique et de diminuer la faim. De plus, lorsqu'on est éveillé, on a plus d'occasions pour manger !

PEUT-ÊTRE

CONCLUSION | Malgré que d'autres études soient nécessaires afin de mieux comprendre le rôle entre le sommeil et la régulation du poids, ces résultats nous démontrent de nouveau l'aspect multifactoriel de l'obésité. Or, une bonne nuit de sommeil sera toujours gage de santé, peu importe son impact sur le tour de taille !

RECOMMANDATIONS DES BESOINS QUOTIDIENS EN SOMMEIL	
Âge	**Sommeil**
Nouveau-né (1-2 mois)	De 10,5 à 18 heures
Nourrisson (3-11 mois)	De 9 à 12 heures la nuit, de 30 minutes à 2 heures de sieste de une à quatre fois par jour
Tout-petit (1-3 ans)	De 12 à 14 heures
Enfant d'âge préscolaire (3-5 ans)	De 11 à 13 heures
Enfant d'âge scolaire (5-12 ans)	10 ou 11 heures
Adolescent (11-17 ans)	De 8,5 à 9,25 heures
Adulte (18-64 ans)	De 7 à 9 heures
Aîné (65 ans et plus)	De 7 à 9 heures

Référence:
Selon la National Sleep Foundation, www.sleepfoundation.org

LE SAVIEZ-VOUS?

Selon le National Institutes of Health (NIH) et l'Institute of Medecine (IOM), environ 30 millions d'Américains sont touchés par l'insomnie chronique chaque année.

] Le THÉ vert fait maigrir.

Le thé vert contient deux substances qui pourraient contribuer à stimuler le métabolisme : la caféine et l'épigallocatéchine-3-gallate (EGCG), un type de catéchines appartenant à la classe des flavonoïdes reconnus pour leur effets anticancéreux. Selon quelques études, ces deux substances prises conjointement augmenteraient, à court terme, la dépense énergétique et l'oxydation des gras. Toutefois, à long terme, les effets de la caféine et des catéchines semblent avoir peu d'impact sur le poids corporel. D'autres études démontrent que ces deux mêmes substances seraient seulement efficaces chez les gens qui ont une consommation habituelle de café faible ou modérée. De plus, il semble que, pour obtenir des effets concluants, la quantité nécessaire de thé vert bien infusé serait de six ou sept tasses par jour (attention aux tremblements !).

CONCLUSION | À la lumière des résultats actuels, il est difficile d'affirmer avec certitude que la consommation de thé vert peut contribuer à la perte de poids, d'autant plus que les études ont été réalisées à partir d'extraits purifiés de thé mis en capsules et non avec la boisson elle-même. Histoire à suivre...

Références

1 O'LOUGHLIN (Jennifer), KARP (Igor), HENDERSON (Melanie), FRCPC, GRAY-DONALD (Katherine). « Does Cigarette Use Influence Adiposity or Height in Adolescence? », *Annals of Epidemiology*, Volume 18, Issue 5, May 2008, pp. 395-402.

2 JO (Young Hwan), TALMAGE (David A.), ROLE (Lorna W.). *Nicotinic Receptor-Mediated Effects on Appetite and Food Intake*. 2002.

3 Santé Canada : www.hc-sc.gc.ca

4 Guide alimentaire canadien : www.santecanada.gc.ca/guidealimentaire

5 Extenso, Centre de référence sur la nutrition humaine : www.extenso.org

6 Santé Canada : www.hc-sc.gc.ca

7 ÉquiLibre, Groupe d'action sur le poids : www.equilibre.ca

8 Groupe de réflexion sur l'obésité et le surpoids : www.gros.org

9 ÉquiLibre, Groupe d'action sur le poids : www.equilibre.ca

10 National Sleep Foundation. « 2007 Sleep in America Poll », National Sleep Foundation, Washington, DC, 2007.

11 National Sleep Foundation : www.sleepfoundation.org

DIVERS

- L'ACTIVITÉ PHYSIQUE peut augmenter le « bon » cholestérol.

- Les ALIMENTS encore chauds et mis au frigo surissent.

- L'ASPARTAME est cancérigène.

- La cuisson au BARBECUE est cancérigène.

- Ça prend plusieurs années pour digérer une GOMME À MÂCHER.

- La cuisson au MICRO-ONDES est cancérigène.

- Certains contenants de plastique ne conviennent pas au MICRO-ONDES.

- Le MICRO-ONDES détruit la valeur nutritive des aliments.

] **L'ACTIVITÉ PHYSIQUE peut augmenter
le « bon » cholestérol.**

En effet, la pratique régulière d'une activité physique peut faire augmenter légèrement le taux de bon cholestérol (HDL-cholestérol) et, chez certaines personnes, réduire le taux de mauvais cholestérol (LDL-cholestérol).
Bien que l'intensité de l'exercice joue un rôle favorable, il semble que la quantité soit bien plus importante pour diminuer le risque de maladies cardiovasculaires. L'activité physique a aussi l'avantage de réduire considérablement les risques d'embonpoint qui prédispose à diverses maladies (ex. : diabète de type 2, hypertension).

CONCLUSION | Une saine alimentation et de l'activité physique régulière (ex. : marche rapide, vélo, natation) constituent une véritable assurance-vie pour les artères !

LE SAVIEZ-VOUS ?

Les scientifiques affirment qu'il faut 60 minutes d'activité physique par jour pour demeurer en forme ou améliorer sa santé. Mais, en fait, la durée recommandée varie selon l'effort. À mesure que vous passerez à des activités d'intensité moyenne ou soutenue, vous pourrez réduire cet objectif à 30 minutes, 4 jours par semaine.

★ ★ ★

] **Les ALIMENTS encore chauds et mis
au frigo surissent.**

Il est faux de croire que les aliments surissent lorsqu'ils sont placés encore chauds au réfrigérateur : ce problème survient plutôt lorsque les aliments prennent trop de temps à refroidir. Le ministère de l'Agriculture, des Pêcheries et de l'Alimentation du Québec (MAPAQ)[1]

recommande de ne pas laisser refroidir les aliments sur le comptoir avant de les mettre au frigo : « Après la cuisson, placez sans tarder les aliments dans de plus petits contenants, peu profonds. Dès que les aliments atteignent une température de 60 °C, et bien qu'ils soient encore chauds, rangez les contenants à demi couverts au réfrigérateur pour que la chaleur et la vapeur s'échappent. Une fois la nourriture bien refroidie, fermez les plats hermétiquement et le tour est joué. »

CONCLUSION | Ne laissez pas traîner vos plats sur le comptoir… vous risquez de les oublier !

LE SAVIEZ-VOUS ?

Il y aurait environ de 11 à 13 millions de cas de toxi-infections alimentaires chaque année au Canada. Selon le MAPAQ[2], les principaux facteurs responsables sont le refroidissement inadéquat des aliments, une cuisson inadéquate, le non-respect des températures d'entreposage et les contaminations croisées.

Pour préserver la qualité des aliments, il est primordial de bien les entreposer. Or, la température idéale du frigo est égale ou inférieure à 4 °C (40 °F) alors que celle du congélateur est égale ou inférieure à −18 °C (0 °F). Attention, le froid ne tue pas les bactéries pathogènes : seule une cuisson appropriée peut y arriver !

] L'ASPARTAME est cancérigène.

Voilà un sujet qui fait souvent les manchettes. Malgré tout, les études n'ont jamais démontré que l'aspartame était cancérigène ou qu'elle pouvait causer des problèmes neurologiques ! D'ailleurs, plus de 90 pays, dont les États-Unis, des pays de l'Union européenne et l'Australie, ont jugé l'aspartame sans danger pour la consommation humaine et l'autorisent dans la préparation de divers aliments. Au Canada, l'aspartame est permis depuis 1981 dans de nombreux aliments (ex.: desserts, yogourts, boissons gazeuses, gomme à mâcher).

Les scientifiques de la Direction des aliments de Santé Canada[3] ont fixé à 40 mg par kilogramme de poids corporel la dose d'aspartame journalière admissible. Cette dose représente le seuil sous lequel on estime que cet additif alimentaire n'a pas d'effet nocif sur la santé. Concrètement, pour une personne pesant 60 kg, cette dose correspond à environ 16 cannettes (355 ml) de boissons gazeuses diètes par jour !

CONCLUSION | Malgré que l'aspartame soit sans danger pour la santé, je vous encourage à manger des aliments le plus naturels possible, donc les moins transformés par l'industrie.

LE SAVIEZ-VOUS ?

L'aspartame est formé de deux acides aminés, la phénylalanine et l'acide aspartique. Or, les acides aminés sont les unités structurales de base des protéines. Chez certaines personnes, l'aspartame peut entraîner des maux de tête, voire des migraines, et de l'urticaire.

] **La cuisson au BARBECUE est cancérigène.**

Mythe, à la condition de respecter certaines règles.
Ce qu'il faut savoir : tous les modes de cuisson à haute température (ex. : four, barbecue) peuvent entraîner la formation
de substances potentiellement cancérigènes (amines hété-
rocycliques). Puisque la cuisson au barbecue représente la
méthode où la température est la plus élevée, les risques
sont également plus élevés. Généralement, plus on cuit
longtemps et à haute température, plus on augmente les
risques de créer certaines de ces substances nocives.

De plus, lorsque le gras des viandes, de la volaille ou des
poissons brûle et tombe sur les briquettes du barbecue, des
substances nocives provenant de la fumée se déposent sur les
aliments, créant ainsi d'autres composés soupçonnés d'être
cancérigènes (hydrocarbures aromatiques polycycliques).
Ces derniers peuvent également être formés lorsqu'on car-
bonise les aliments contenant du gras animal. Ainsi, les
légumes noircis par la cuisson au barbecue ne contiennent pas
de ces substances toxiques.

Pour réduire l'exposition à ces substances susceptibles d'être
cancérigènes, on recommande de :

- nettoyer la grille du barbecue avant chaque usage ;
- privilégier les viandes maigres ;
- retirer le gras visible des viandes avant la cuisson et éviter
  de les piquer durant la cuisson ;
- cuire la viande en papillote ;
- ne jamais manger les parties carbonisées des viandes, de
  la volaille et des poissons ;
- cuire les viandes, la volaille et les poissons plus lentement
  et à feu moyen.

CONCLUSION | C'est l'exposition répétée à ces substances
potentiellement cancérigènes qui augmente le risque de
cancer. Mais comme la cuisson au barbecue est occasionnelle,
elle ne représente pas un véritable danger pour la santé.

★ ★ ★

] Ça prend plusieurs années pour digérer une GOMME À MÂCHER.

Contrairement à la croyance populaire, la gomme ne colle pas à l'estomac ni ne séjourne plusieurs années dans les intestins. Tout comme les autres substances non digestibles (ex.: fibres), la gomme traverse simplement le système digestif pour être rejetée intacte dans les selles quelques heures plus tard!

★ ★ ★

] La cuisson au MICRO-ONDES est cancérigène.

Le chauffage au micro-ondes s'effectue par agitation des molécules d'eau que contiennent les aliments, grâce aux ondes électromagnétiques émises par les parois intérieures de l'appareil. Ces ondes sont générées électroniquement et, contrairement à certaines croyances, elles ne proviennent pas de sources radioactives. Cela dit, des études ont été menées pour analyser les effets indésirables possibles des fours à micro-ondes sur la santé. Ces études, qui ont été examinées par des scientifiques de Santé Canada[5], ne révèlent

aucun signe de toxicité ou de cancérogénicité. Or, les aliments décongelés, réchauffés ou cuits au micro-ondes ne sont ni radioactifs ni cancérigènes.

LE SAVIEZ-VOUS ?

Le four à micro-ondes aurait été découvert par erreur par une équipe d'ingénieurs qui cherchait à développer un système radar lors de la Seconde Guerre mondiale. Un jour, alors qu'un des hommes était à proximité d'un radar en activité, il aurait remarqué qu'une barre de chocolat déposée dans sa poche avait fondu. C'est en 1953 que la société américaine d'armement Raytheon présente le premier four à micro-ondes : un appareil pesant 340 kg et mesurant 1,8 mètre de haut. Vive la technologie !

] Certains contenants de plastique ne conviennent pas au MICRO-ONDES.

Sous l'effet de la chaleur, il est possible que les composants entrant dans la fabrication des produits de plastique puissent s'infiltrer dans les aliments. Or, certaines de ces substances toxiques pourraient être carcinogènes, selon la Société canadienne du cancer[6]. Cette dernière recommande de ne pas ranger ni chauffer les aliments dans des contenants de plastique qui ne sont pas destinés à cet usage : « Les contenants à usage unique, par exemple les récipients de margarine, ont tendance à se déformer ou à fondre au micro-ondes, ce qui pourrait accroître le risque d'infiltration de composants dans les aliments. »

CONCLUSION | Limitez-vous au pyrex, au verre, aux contenants et aux pellicules de plastique adaptés pour le four à micro-ondes.

] LE MICRO-ONDES détruit la valeur nutritive des aliments.

Contrairement à certaines rumeurs, le four à micro-ondes ne détruit pas plus la valeur nutritive des aliments que les autres modes de cuisson lorsqu'il est utilisé correctement. D'ailleurs, avec la cuisson à la vapeur, la cuisson au micro-ondes figure parmi les traitements qui retiennent le mieux les vitamines et les minéraux dans les légumes. Cela dit, tous les modes de cuisson engendrent une certaine perte de nutriments, particulièrement celle des vitamines plus sensibles à la chaleur (ex.: vitamines B et C). Cependant, pour minimiser les pertes nutritionnelles lors de la cuisson, deux règles s'imposent: cuire rapidement les aliments et dans le moins d'eau possible. Voilà pourquoi la cuisson au micro-ondes permet de sauvegarder une bonne partie des nutriments.

MYTHE

Références

[1] Ministère de l'Agriculture, des Pêcheries et de l'Alimentation du Québec (MAPAQ) : www.mapaq.gouv.qc.ca

[2] *Ibid.*

[3] Santé Canada : www.hc-sc.gc.ca

[4] Société canadienne du cancer : www.cancer.ca

[5] Santé Canada : www.hc-sc.gc.ca

[6] Société canadienne du cancer : www.cancer.ca

GLOSSAIRE

Acides gras monoinsaturés
Tendent à diminuer les risques de maladie du cœur.
Principales sources : huile d'olive, huile de canola, huile de
tournesol, avocats, arachides et certaines noix (ex. : noisettes,
pacanes, amandes).

Acides gras polyinsaturés
Tendent à diminuer les risques de maladie du cœur. Principales
sources : poissons gras et huiles végétales.

> Oméga-3
> - Meilleures sources animales : poissons gras
>   (ex. : saumon, maquereau, hareng, truite).
>
> - Meilleures sources végétales : graines et huile de lin,
>   et, dans une moindre mesure, l'huile de canola et de
>   soya, le germe de blé et les noix de Grenoble.
>
> Oméga-6
> - Meilleures sources : huiles de pépins de raisin, de
>   tournesol, de noix, de maïs et de soya.

Acides gras saturés
Augmentent le risque de maladies du cœur, car ils élèvent le
taux de « mauvais » cholestérol dans le sang (LDL-cholestérol).
Présents dans les aliments d'origine animale (ex. : saindoux,
beurre, fromage, viandes, charcuteries) et parfois végétale
(ex. : huiles de coco, de palme et de palmiste).

Acides gras trans
Accroissent le risque de maladies du cœur, car ils augmentent
le taux de mauvais cholestérol (LDL-cholestérol) et diminuent le
bon cholestérol dans le sang (HDL-cholestérol). Proviennent du
processus d'hydrogénation qui transforme les huiles végétales
en graisses semi-solides comme le shortening et les margarines
dures. On les trouve aussi en petites quantités, à l'état naturel,
dans certains aliments (produits laitiers, agneau, bœuf).

Antioxydants
Composés capables de neutraliser ou de réduire les dommages
causés par les radicaux libres, responsables du vieillissement
prématurés des cellules du corps. Les plus connus :
bêta-carotène, lycopène, lutéine, sélénium, flavonoïdes,
anthocyanes, vitamines C et E.

Cholestérol

Graisse naturelle indispensable à la vie, produite naturellement par le corps ou provenant des aliments d'origine animale (ex.: abats, jaunes d'œufs, crevettes, viandes). Une concentration trop élevée dans le sang peut être néfaste pour la santé.

HDL-cholestérol (lipoprotéine de haute densité). C'est ce qu'on appelle le « bon cholestérol » : aide à éliminer le gras accumulé dans les artères. Protège contre les maladies du cœur.

LDL-cholestérol (lipoprotéine de faible densité). C'est ce qu'on appelle le « mauvais cholestérol » : favorise l'accumulation de plaques de gras sur les parois des artères (athéromes). Augmente lses risques de maladies du cœur.

Fibres solubles

Dans le cadre d'une alimentation adéquate et équilibrée, les fibres solubles (ex.: pectine, psyllium, légumineuses, son d'avoine, orge) peuvent abaisser le taux de cholestérol sanguin et aider au contrôle de la glycémie.

Fibres insolubles

Les fibres insolubles (ex.: son de blé et de maïs) maintiennent une bonne régularité intestinale, favorisent la satiété et pourraient aussi jouer un rôle important dans la prévention de certains cancers.

Hypercholestérolémie

Concentration trop élevée de cholestérol sanguin : accroît le risque de maladies cardiovasculaires.

Maladies cardiovasculaires (ou maladies du cœur)

Maladies qui concernent le cœur et la circulation sanguine (ex.: infarctus, angine de poitrine, anévrisme).

Nutriments (ou éléments nutritifs)

Molécules nécessaires à l'organisme pour couvrir ses besoins physiologiques : protéines, lipides, glucides, fibres, vitamines et minéraux.

TABLEAU DES VITAMINES ET DES MINÉRAUX

VITAMINES	PRINCIPAUX RÔLES	BESOINS QUOTIDIENS* POUR LES ADULTES DE 19 À 50 ANS		MEILLEURES SOURCES
		HOMMES	FEMMES	
A Rétinol (origine animale) Caroténoïdes (origine végétale)	Contribue au développement normal des os et des tissus Favorise une peau en santé, une bonne vision (surtout dans l'obscurité) et un système immunitaire efficace Antioxydant (caroténoïdes)	900 µg[1]	700 µg	**Origine animale :** yogourt et margarine enrichis, foie, jaune d'œuf, lait, fromage, beurre **Origine végétale :** fruits et légumes colorés (ex.: patate douce, carotte, abricot, épinards, chou frisé)
Acide folique	Contribue à la formation des protéines et des globules rouges Prévient les malformations fœtales durant la grossesse (ex.: spina-bifida)	400 µg	400 µg[2]	Légumes verts (ex.: asperges, cresson, épinards), oranges, produits céréaliers à grains entiers ou enrichis, foie, légumineuses
B₁ Thiamine	Transforme les glucides en énergie	1,2 mg	1,1 mg	Foie, porc, jambon, produits céréaliers à grains entiers, germe de blé, légumineuses, noix et graines, pois verts
B₂ Riboflavine	Intervient dans la production d'énergie, la régénération des tissus et la fabrication des globules rouges	1,3 mg	1,1 mg	Produits laitiers, abats, viande, poisson, œufs, produits céréaliers enrichis (ex.: pain, pâtes)
B₃ Niacine	Intervient dans la production d'énergie Nécessaire à la santé de la peau, des systèmes digestif et nerveux	16 mg	14 mg	Aliments riches en protéines (ex.: viande, poisson, foie, noix), produits céréaliers à grains entiers ou enrichis, levure de bière

		HOMMES	FEMMES	
C Acide ascorbique	Antioxydant Favorise la santé des os, de la peau, des cartilages et des gencives Facilite l'absorption du fer végétal et la cicatrisation	90 mg	75 mg	Fruits et légumes (ex. : agrumes, poivron, fraises, kiwi, brocoli)
D	Facilite l'absorption du calcium; favorise ainsi la formation d'os solides et de dents saines	5 µg (200 UI)	5 µg (200 UI)	Exposition au soleil, lait, poissons et leurs huiles (ex. : saumon, thon, flétan), jaune d'œuf, yogourt fabriqué à partir de lait enrichi
E	Antioxydant	15 mg	15 mg	Huiles végétales (ex. : germe de blé, tournesol, pépins de raisin), noix, brocoli, mangue
K	Indispensable à la coagulation sanguine	120 µg	90 µg	Légumes verts foncés (ex. : asperges, brocoli, choux de Bruxelles).

1   µg : microgrammes. Il y a un million de microgrammes dans un gramme. Un microgramme = 0,001 mg.

2   Les besoins en acide folique sont de 600 µg par jour pour la femme enceinte ou désireuse de l'être, et passent à 500 µg pour la femme qui allaite.

MINÉRAUX	PRINCIPAUX RÔLES	BESOINS QUOTIDIENS* POUR LES ADULTES DE 19 À 50 ANS		MEILLEURES SOURCES
		HOMMES	FEMMES	
Calcium	Bâtit et maintient des os solides et des dents saines Indispensable à la coagulation sanguine, la contraction musculaire et la transmission nerveuse	1000 mg	1000 mg	Produits laitiers et boissons de soya enrichies

Fer	Transporte l'oxygène dans le corps Contribue à la formation des globules rouges et au fonctionnement du système immunitaire	8 mg	18 mg	Abats, viande, volaille, poisson et fruits de mer
Magnésium	Intervient dans la production d'énergie, la formation des tissus, des os et des dents Régularise le rythme cardiaque	de 400 à 420 mg	de 310 à 320 mg	Légumes verts (ex. : artichaut, épinards), légumineuses, noix et graines, produits céréaliers à grains entiers, cacao
Phosphore	Forme et maintient des os solides et des dents saines Permet la réserve et le transport de l'énergie des aliments	700 mg	700 mg	Aliments riches en protéines (ex : viande, volaille, produits laitiers, œufs, légumineuses), produits céréaliers
Potassium	Intervient dans la transmission des influx nerveux et la contraction musculaire Régularise le rthme cardiaque et la pression artérielle	4700 mg	4700 mg	Fruits, légumes (ex. : banane, pomme de terre, jus de légumes), produits laitiers, légumineuses
Sélénium	Antioxydant Stimule l'immunité	55 µg	55 µg	Noix du Brésil, viande, volaille, poisson et fruits de mer, œufs, riz brun
Sodium	Indispensable à la régulation de l'hydratation du corps Permet la contraction des muscles et la transmission des influx nerveux	moins de 2300 mg	moins de 2300 mg	Sel, aliments industriels (ex. : mets surgelés, charcuteries, craquelins, condiments)
Zinc	Combat les infections et facilite la cicatrisation Maintient en bon état la peau, les cheveux, les sens de l'odorat et du goûter	11 mg	8 mg	Viande, volaille, poisson et fruits de mer (surtout les huîtres), foie, noix et graines, germe de blé, légumineuses

*   Selon les apports nutritionnels de référence (ANREF)

GUIDE ALIMENTAIRE CANADIEN

*Bien manger
avec le*

Guide alimentaire
canadien

Canada

Nombre de portions du Guide alimentaire recommandé chaque jour

	Enfants			Adolescents		Adultes			
Âge (ans)	2-3	4-8	9-13	14-18		19-50		51+	
Sexe	Filles et garçons			Filles	Garçons	Femmes	Hommes	Femmes	Hommes
Légumes et fruits	4	5	6	7	8	7-8	8-10	7	7
Produits céréaliers	3	4	6	6	7	6-7	8	6	7
Lait et substituts	2	2	3-4	3-4	3-4	2	2	3	3
Viandes et substituts	1	1	1-2	2	3	2	3	2	3

Le tableau ci-dessus indique le nombre de portions du Guide alimentaire dont vous avez besoin chaque jour dans chacun des quatre groupes alimentaires.

Le fait de consommer les quantités et les types d'aliments recommandés dans le *Guide alimentaire canadien* et de mettre en pratique les trucs fournis vous aidera à :

- Combler vos besoins en vitamines, minéraux et autres éléments nutritifs.
- Réduire le risque d'obésité, de diabète de type 2, de maladies du cœur, de certains types de cancer et d'ostéoporose.
- Atteindre un état de santé globale et de bien-être.

À quoi correspond une portion du Guide alimentaire ?
Regardez les exemples présentés ci-dessous.

Légumes frais, surgelés ou en conserve
125 mL (½ tasse)

Légumes feuillus
Cuits : 125 mL (½ tasse)
Crus : 250 mL (1 tasse)

Fruits frais, surgelés ou en conserve
1 fruit ou 125 mL (½ tasse)

Jus 100 % purs
125 mL (½ tasse)

Pain
1 tranche (35 g)

Bagel
½ bagel (45 g)

Pains plats
½ pita ou ½ tortilla (35 g)

Riz, boulgour ou quinoa, cuit
125 mL (½ tasse)

Céréales
Froides : 30 g
Chaudes : 175 mL (¾ tasse)

Pâtes alimentaires ou couscous, cuits
125 mL (½ tasse)

Lait ou lait en poudre (reconstitué)
250 mL (1 tasse)

Lait en conserve (évaporé)
125 mL (½ tasse)

Boisson de soya enrichie
250 mL (1 tasse)

Yogourt
175 g
(¾ tasse)

Kéfir
175 g
(¾ tasse)

Fromage
50 g (1 ½ oz)

Poissons, fruits de mer, volailles et viandes maigres, cuits
75 g (2 ½ oz)/125 mL (½ tasse)

Légumineuses cuites
175 mL (¾ tasse)

Tofu
150 g ou
175 mL (¾ tasse)

Oeufs
2 oeufs

Beurre d'arachide ou de noix
30 mL (2 c. à table)

Noix et graines écalées
60 mL (¼ tasse)

Huiles et autres matières grasses
- Consommez une petite quantité, c'est-à-dire de 30 à 45 mL (2 à 3 c. à table) de lipides insaturés chaque jour. Cela inclut les huiles utilisées pour la cuisson, les vinaigrettes, la margarine et la mayonnaise.
- Utilisez des huiles végétales comme les huiles de canola, d'olive ou de soya.
- Choisissez des margarines molles faibles en lipides saturés et trans.
- Limitez votre consommation de beurre, margarine dure, saindoux et shortening.

Tirez le maximum de vos portions du Guide alimentaire…
partout où vous êtes : à la maison, à l'école, au travail ou au restaurant !

▸ **Mangez au moins un légume vert foncé et un légume orangé chaque jour.**
  · Choisissez des légumes vert foncé comme le brocoli, les épinards et la laitue romaine.
  · Choisissez des légumes orangés comme les carottes, les courges d'hiver et les patates douces.

▸ **Choisissez des légumes et des fruits préparés avec peu ou pas de matières grasses, sucre ou sel.**
  · Dégustez des légumes cuits à la vapeur, au four ou sautés plutôt que frits.

▸ **Consommez des légumes et des fruits de préférence aux jus.**

▸ **Consommez au moins la moitié de vos portions de produits céréaliers sous forme de grains entiers.**
  Consommez une variété de grains entiers comme l'avoine, l'orge, le quinoa, le riz brun et le riz sauvage.
  Dégustez des pains à grains entiers, du gruau ou des pâtes alimentaires de blé entier.

▸ **Choisissez des produits céréaliers plus faibles en lipides, sucre ou sel.**
  Comparez les tableaux de la valeur nutritive sur les emballages des produits céréaliers pour faire des choix judicieux.
  Appréciez le vrai goût des produits céréaliers. Limitez les quantités de sauces ou tartinades que vous leur ajoutez.

▸ **Buvez chaque jour du lait écrémé ou du lait 1 % ou 2 % M.G.**
  · Consommez 500 mL (2 tasses) de lait chaque jour pour avoir suffisamment de vitamine D.
  · Buvez des boissons de soya enrichies si vous ne buvez pas de lait.

▸ **Choisissez des substituts du lait plus faibles en matières grasses.**
  · Comparez les tableaux de la valeur nutritive sur les emballages de yogourts et fromages pour faire des choix judicieux.

▸ **Consommez souvent des substituts de la viande comme des légumineuses ou du tofu.**

▸ **Consommez au moins deux portions du Guide alimentaire de poisson chaque semaine.***
  · Privilégiez le hareng, le maquereau, l'omble, les sardines, le saumon et la truite.

▸ **Choisissez des viandes maigres et des substituts préparés avec peu ou pas de matières grasses ou sel.**
  · Retirez toutes les graisses visibles de la viande. Enlevez la peau de la volaille.
  · Cuisez vos aliments au four ou faites-les griller ou pocher. Ces méthodes de cuisson nécessitent peu ou pas de matières grasses.
  · Si vous mangez des charcuteries, des saucisses ou des viandes préemballées, choisissez des produits plus faibles en sodium et lipides.

Savourez une variété d'aliments provenant des quatre groupes alimentaires.

Buvez de l'eau pour étancher votre soif !
Buvez de l'eau régulièrement. L'eau étanche bien la soif sans fournir de calories. Buvez-en davantage lorsqu'il fait chaud ou que vous êtes très actif.

* Santé Canada fournit des conseils visant à limiter l'exposition au mercure présent dans certains types de poissons. Consultez www.santecanada.gc.ca pour vous procurer les informations les plus récentes.

Source : www.santecanada.gc.ca/guidealimentaire

RÉFÉRENCES UTILES

ALIMENTATION ET NUTRITION

Clinique universitaire de nutrition de l'Université de Montréal
Téléphone : 514 343-7055
www.clinut.umontreal.ca

Extenso - Centre de référence de la nutrition humaine
www.extenso.org

Fédération agriculture biologique du Québec
Téléphone : 450 679-0530
www.fabqbio.ca

Les diététistes du Canada
Téléphone : 416 596-0857
www.dietitians.ca

Ordre professionnel des diététistes du Québec
Téléphone : 514 393-3733 / 1 888 393-8528
www.opdq.org

Santé Canada - Guide alimentaire pour manger santé
Téléphone : 1 800 622-6232
www.santecanada.gc.ca/guidealimentaire

ACTIVITÉ PHYSIQUE

Kino-Québec
www.kino-quebec.qc.ca

Santé Canada - Guide d'activité physique canadien
pour une vie saine
www.phac-aspc.gc.ca/pau-uap/guideap/index.html

SANTÉ

Association québécoise des allergies alimentaires
Téléphone : 514 990-2575
www.aqaa.qc.ca

Diabète Québec
Téléphone : 1 800 361-3504
www.diabete.qc.ca

Défi Santé 5/30
www.defisante530.com

Fondation des maladies du cœur du Québec
Téléphone : 514 871-1551 / 1 888 473-4636
www.fmcoeur.ca

Fondation canadienne des maladies inflammatoires de l'intestin
Téléphone : 514 342-0666 / 1 800 461-4683
www.fcmii.ca

Fondation québécoise de la maladie cœliaque
Téléphone : 514 529-8806
www.fqmc.org

Gouvernement du Québec
www.saineshabitudesdevie.gouv.qc.ca

Passeport Santé
www.passeportsante.net

Service Info-Santé
Téléphone : 811

Société canadienne du cancer
Téléphone : 514 255-5151
www.cancer.ca

POIDS

ÉquiLibre - Groupe d'action sur le poids
Tél. : 514 270-3779 / 1 877 270-3779
www.equilibre.ca

Producteurs laitiers du Canada
www.votrepoidssante.ca

Association québécoise d'aide aux personnes souffrant
d'anorexie nerveuse et de boulimie-ANEB Québec
Téléphone : 514 630-0907 / 1 800 630-0907
www.anebquebec.com

SÉCURITÉ ALIMENTAIRE

Agence canadienne d'inspection des aliments
www.inspection.gc.ca

Ministère Agriculture, Pêcheries et Alimentation - MAPAQ
www.mapaq.gouv.qc.ca

INDEX

REMERCIEMENTS

J'aimerais lever un verre à mes camarades
et collègues si précieux pour leur incroyable
générosité personnelle et professionnelle :
Stéphanie Ross, Julie Aubé, Roxanne Bertrand,
Johanne Vézina, Ariane Fortier, Fannie Dagenais,
Dominique Claveau, Sylvie Desroches,
Mario Lalancette, Linda Montpetit,
Anne-Marie Roy, Mireille Aubé, Marie-Douce Soucy,
Louise Thibault et Sophie Perreault. Votre passion,
votre souci du détail et votre curiosité alimentaire
ont fait de ce livre une aventure tout simplement
extraordinaire et combien enrichissante
et plaisante. Merci mille fois !

À toi, Simon, mon amour, merci de croire en moi.
Merci pour ton soutien et tes encouragements
dès les premiers écrits. Merci d'avoir pris le temps
de lire tous les chapitres et de les avoir commentés
de façon aussi pertinente. Tu es le meilleur !
Merci d'être dans ma vie.